U0115352

文學研究叢書・文學理論叢刊

# 跨界對話

## 漢學、比較文學與物質文化研究

陳　玨　主編

敬啟者

比較文學之研究，久為國際所重視，現在自由世界各國，多設有全國性的學會，各學會之間更有國際性的組織，以便利交換研究心得，促進文化交流。

比較文學的研究，近年來在我國已引起日益增長的注意，惜至今尚無全國性的組織，更無從與國際間作團體性的聯結，故我們不揣愚昧發起，我們從事於教育工作多年，咸認比較文學之研究，於國家、世界必極有裨益，故特倡議成立「中華民國比較文學學會」，並訂於六月九日（星期六）下午三時，假台大文學院會議室舉行籌備會議，以商討比較文學學會章程及有關事宜。久仰您對比較文學素有興趣，希望您屆時能出席參加。專此敬祝

文祺

發起人

朱立民　余光中
鄭騫　　侯健
黃得時　顏元叔
葉慶炳　李達三
林文月　袁鶴翔
齊邦媛

同啟

**中華民國比較文學學會發起書影本**
（齊邦媛教授提供）

《現代文學》一九六〇年創辦時，編輯委員會合影
第一排左起陳若曦、歐陽子、劉紹銘、白先勇、張先緒，第二排左起戴天、方蔚華、林耀福、李歐梵、葉維廉、王文興、陳次雲（臺灣大學圖書館提供）

世界诗学大辞典

錢鍾書遺墨
（樂黛雲教授提供）

孟爾康先生照
（普林斯頓大學圖書館提供）

杜希德先生照
（中央研究院歷史語言研究所提供）

# 目次

## 五　孟爾康之遺產

## 附錄

# 編序

　　本書中所收的各篇文章，除樂黛雲先生的大作和筆者的附錄外，都曾於去年和今年，在《中外文學》（臺灣）、北京《清華大學學報》（大陸）和科技部人文司《人文與社會科學簡訊》（臺灣）上，以「筆談」或「專文」形式發表。這些文章中的大部分，是去年四月在臺北召開的兩場會議的「產物」；其中的一場是「漢學與比較文學・比較文學與漢學」兩岸「七人談」會議，以外文學門學者為主；另一場是「新漢學視野中的比較文學與物質文化」兩岸「跨界」學術交流會，以中文學門學者為主。這兩場會議，由筆者主持的國立清華大學「新漢學與世界文學視野中的二十世紀中國文學」兩岸清華合作研究計畫和科技部多個大型研究計畫為主體，[1]聯袂國際「漢學與物質文化」研究聯盟，[2]共同來推動，[3]有幸邀請到十位兩岸相關領域的「一線」專家參與，其中有臺灣六位，大陸四位，[4]內容涉及到「漢學」、「比較文學」和「物質文化」研究等三個大領域，是一種名副

---

1　除上述研究計畫外，筆者主持的國立清華大學「漢學的典範轉移」主軸增能整合型研究計畫和科技部（前國科會）「國際漢學與物質文化研究聯盟」拋光計畫等，也參予共同推動。這些在本書編後記中，有詳細注明，請參閱。

2　有關國際「漢學與物質文化」研究聯盟的前瞻意義和成立始末，詳參收入本書中的拙作〈拓展「漢學與物質文化」研究的新視野〉一文。

3　凡參與推動的研究計畫的編號，在本書後記中，都有詳細的注明，讀者可參閱。

4　與會學者的名單，詳見本文第一節和第二節中所列。樂黛雲先生當時接受會議邀請，後來雖因身體欠佳，未能出席，仍在會後惠賜大作，收入本書，特此致謝。

其實的「跨界」對話，現在匯為一集出版，各篇之間，自有其內在的關聯和理路。筆者作為本書編者，有機會在此「編序」中，略述這部「跨界」十人談的學術背景和來龍去脈，感到很榮幸，而掛一漏萬之處，自在所難免，尚請各位專家和讀者不吝指教。

一

乍一看來，本書中涵蓋的三個領域──「漢學」、「比較文學」和「物質文化」研究──各自為政，相互之間的關聯，似乎不太大，至少從傳統的眼光看，並不能夠算是一個有機的整體。然而，它們為什麼會在上述的這兩次會議中共同出現，並在本書中會聚在一起呢？話說從頭，這要從筆者近年主持的兩個連續性的兩岸清華合作研究計畫和多個科技部大型研究計畫談起。這些研究計畫的主軸都是「漢學」，而它們所推動的去年四月兩次會議，則又分別涉及「漢學」與「比較文學」和「物質文化」研究，重在「跨界」。為敘述方便，本節先重點介紹去年四月七日舉辦的以「漢學」與「比較文學」兩者為主體的「七人談」會議，下節則從去年四月六日召開的涵蓋「漢學」、「比較文學」和「物質文化」研究三方面的「跨界」學術交流會入手，討論這兩次會議的籌備整體構想和收穫。

去年四月七日會議的舉辦，以兩岸清華合作研究計畫為主。筆者曾撰文簡要介紹過上述兩岸清華合作研究計畫的來龍去脈：百年清華與漢學史的關係源遠流長。當年赫赫有名的國學院四大導師王國維、梁啓超、陳寅恪和趙元任，便與法國漢學界、美國漢學界、德國漢學界、日本漢學界之間的交往很緊密。此後數十年，清華師生中出現過許多國際漢學界馳名的人物，不勝枚舉，有目共睹。時至二〇〇九年兩岸清華大學共同籌備二〇一一年百年校慶，為促進兩校同仁在相關

研究領域的密切合作，合力推出兩岸清華合作研究基金，每年編列等量經費，由兩岸清華學者自定主題，選擇自然科學與人文社會科學各領域中的前沿問題，共同提出申請，展開研究。拜清華源遠流長的漢學研究傳統之賜，兩岸清華「漢學的典範轉移」合作研究計劃成為兩校首批各自核定的二十四件合作計劃中的少數文科的計劃之一，執行期從二〇一〇年一月到二〇一一年十二月，由筆者和時任北京清華大學歷史系主任的張國剛教授共同主持。這一個兩岸清華合作研究計劃的成功實施，使兩校相關領域學者有了進一步擴大合作的意願，從去年初開始，延續三年的新的兩岸清華「新漢學與世界文學視野中的二十世紀中國文學」合作研究計劃，便應運而生，由筆者和北京清華大學中文系前主任格非教授分別擔任兩校主持人。筆者認為，漢學的「典範轉移」研究，會自然導出「新漢學」。在此意義上，這兩個兩岸清華合作研究計畫，構成一個前後連貫的整體。

前面曾談到，清華的漢學，有源遠流長的歷史。同時，清華也擁有不絕如縷的比較文學傳統。因此，上述前一個兩岸清華計畫重點是漢學史，而後一個計畫中的「世界文學視野中的二十世紀中國文學」部分，雖然不是比較文學的主體，卻也可以理解為是一個可歸屬到比較文學領域的子議題。[5]因為筆者在西方和臺灣的大學的多年專任生涯中，主要的研究都和「漢學與物質文化」領域有關，而格非教授的北京清華團隊，則大都是以比較視野來研究中國現當代文學的專家，所以在我們目前進行的新一期兩岸清華合作研究計畫中，筆者主要分工「新漢學」部分的規劃，而「世界文學視野中的二十世紀中國文學」

---

5　本計畫中的「世界文學視野中的二十世紀中國文學」部分，其實是一個「一身三任」的「跨界」議題：除了可以理解為是一個比較文學領域的子議題，也可以理解為是一個中國現當代文學領域的子議題。同時，又可以從中國現當代文學西譯的角度，理解為是一個與漢學中「東學西漸」分領域有關的子議題。

部分的展開，主要是由北京清華方面負責。雖然如此，兩者仍是一個互相依存、不可分割的整體。由於筆者當年的博士學位從普林斯頓比較文學系獲得，多年以來在國際和兩岸的比較文學界知名學者中，有不少師友。這一背景，促使筆者深深感到，如果能邀請到比較文學領域的學者介入，無論對執行中的兩岸清華合作研究計畫的「新漢學」部分，還是對「世界文學視野中的二十世紀中國文學」部分，應該都會有相當大的啟發和幫助，所以便有了去年四月兩次臺北會議的構想、規畫和舉辦。

漢學是當今國際學界的顯學，比較文學也是當今國際學界的顯學。橫看成嶺側成峰，漢學與比較文學，互相包容。往往在漢學界看來，比較文學是漢學的一部分，而在比較文學界看來，漢學卻又是比較文學的一部分。兩岸的漢學與比較文學，又長期以來，交錯分處在外文和中文學門中（臺灣的比較文學重鎮，主要是外文系的學者，而大陸的比較文學中堅，主要為中文系的學者），風格傳統，互有異同。雙方雖然多年來「雞犬之聲相聞」，往來不絕，卻鮮有結合「漢學」的專門性正面交流。為了促成雙方這一交流，筆者便以本校的兩岸清華合作研究計畫、科技部大型研究計畫和國際「漢學與物質文化」研究聯盟等所共同主辦的臺北「金萱會」為平台，[6]籌備去年四月七日「漢學與比較文學・比較文學與漢學」的會議。這次會議，筆者作為東道主，從兩岸頂尖學術機構中各邀得三位代表性的學者，他們分別為：臺灣的國立臺灣大學廖朝陽特聘教授、中央研究院單德興特聘研究員、國立交通大學馮品佳特聘教授和大陸的北京大學陳躍紅特聘教授、北京清華大學王寧特聘教授、南京大學程章燦特聘教授（詳

---

6 關於臺北「金萱會」的來龍去脈，詳參收入本書中的拙作〈拓展「漢學與物質文化」研究的新視野〉一文。

請參考本書中的「作者簡介」），展開面對面「跨界」交流，坐而論
道，面向國際，共推融合比較文學和漢學兩大研究視野的新潮流。[7]因
為兩岸的比較文學知名學者難得聚在一起，當時會場中，聽眾滿滿，
氣氛熱烈。筆者從一個漢學史研究者的角度，也直觀感受到「跨界」
的震撼性啟發。

## 二

　　如上所述，去年四月七日的會議的發言人主體，由臺灣比較文
學界的外文系主流學者和大陸比較文學界的以中文系為主的來訪者所
組成，議題重點包括比較文學和漢學兩大領域，會議七篇發言稿都以
「筆談」形式，刊載於臺灣比較文學界的權威學報《中外文學》。同
時，為了使大陸來訪的學者，與臺灣主流大學的中文系方面研究比較
文學的學者，以及臺灣研究物質文化的學者之間，也可以有機會展開
交流，我們籌備了四月六日的「新漢學視野中的比較文學與物質文
化」兩岸「跨界」學術交流會。臺灣方面的會議發言人，除筆者以
外，包括國立臺灣大學洪淑苓教授、國立政治大學高桂惠特聘教授和
國立臺灣師範大學曾肅良教授，議題圍繞在中文世界中的「漢學」、
「比較文學」和「物質文化」三方面的「跨界」研究方向，各位學者
展開各抒己見的討論，會場中也是座無虛席。會議的發言中有六篇，
後來編為另一組「筆談」，由北京《清華大學學報》發表。[8]
　　上述去年四月的兩次會議，是名副其實的「姊妹會」。其之所
以如此，與「漢學」、「比較文學」和「物質文化」研究這三大領

---

7　以上論述，大部分錄自筆者〈筆談緣起〉，載去年六月出版之《中外文學》第四十
　　二卷二期，讀者可詳參。
8　曾肅良教授因為事忙，會議中的演講無文字稿，憾未能收入。

域，在中文世界參差有致「跨界」發展的學術背景也息息相關。這裡我們先分別從「漢學與比較文學」和「漢學與物質文化」的學術史交涉兩大面相，作一個簡單的回顧。比較文學自十九世紀在歐洲作為一個學術領域出現以來，直到二十世紀中葉，向有「西方中心」之說。在當時大多數主流比較文學家的心目中，中國文學並不在他們的「世界文學」的視野之內。上世紀後半葉，以美國為「領跑者」的西方漢學界，開始與比較文學界之間，出現相當程度的「跨界」交流，結果便是在六十年代，在西方產生了以華、洋漢學家為中堅力量的所謂中西「比較文學」。換言之，中西「比較文學」在美國的起點，是「漢學」與「比較文學」的結合。隨即，中西「比較文學」在七十年代，大盛於臺灣，奠定了學術體製和學理的基礎，打開一片新天地。到了八十年代，大陸的中西「比較文學」也逢春蜇起，吸取美國和臺灣的發展經驗，努力開拓。上述三方面，各自有特色，相互可補充，卻無法替代。尤其世界進入二十一世紀後，以上三方面的繼續深度匯流，已經成為未來「大趨勢」，它會將各方都帶到一種新的境界。筆者不是比較文學的專家，而是漢學史研究者，近八年來在清華的主要工作之一，是專注於推動「漢學典範轉移」和「漢學與物質文化」兩個領域的研究。這兩個領域——「漢學典範轉移」和「漢學與物質文化」——本身便具有「跨界」互相交叉的意味，所以同時推動，如魚得水，相得益彰。近來，隨著研究的進展，筆者意識到，其實「漢學典範轉移」研究，與上述二十世紀中葉後的中西「比較文學」的興起，有密切的關聯，有可能形成一個「漢學與比較文學」的「跨界」領域，它可以和「漢學與物質文化」並列，平行發展。

　　至於「漢學」與「物質文化」兩者的學術史的交會，筆者曾多次撰文談到：雖然在西方的「物質文化」研究，從十九世紀中葉便開始萌芽，到二次戰後已經走向成熟，然而直到上世紀末，才有

學者成套運用「物質文化」研究的方法，來研究中國古代的物質文化。箇中的轉折性事件，便是柯律格（Craig Clunas, 現今為牛津大學中國藝術史講座教授）在一九九一年出版了一部轟動當時漢學界的書，名叫《「長物志」──早期近代中國的物質文化與社會身分》（*Superfluous Things: Material Culture and Social Status in Early Modern China*）。該書的出版，使漢學界不少同行看到了採用「物質文化」研究的角度，來探討中國文化史的獨特作用。這種認知，使「物質文化」研究在漢學領域中，荒徑漸開。它的學術影響，跨越太平洋。臺灣迅速參與到這一以「漢學」的視野，來研究「物質文化」的潮流中去，並作出貢獻。尤其是科技部近年的大力支持，使這股潮流次第擴展，正逐漸在中文世界形成一種有自己獨特視野的新取向，前途無量。[9]

　　相對而言，大陸在「漢學與物質文化」領域中，除了有孟悅、羅鋼主編的《物質文化讀本》（北京：北京大學出版社，2008）等少數高品質的出版品外，整體而言，至今還相當寂寞。因此，去年四月「新漢學視野中的比較文學與物質文化」兩岸「跨界」學術交流會中，在「漢學與比較文學」議題之外，專門安排了一組由臺灣學術界的國立政治大學高桂惠教授和國立臺灣師範大學曾肅良教授擔綱的「漢學與物質文化」議題的演講，向大陸同行介紹臺灣在該領域發展的一部分近期面貌。由於當時的時間有限，這個議題在政大和師大以外的方方面面，尚來不及展開。隨後，筆者應科技部人文司《人文與社會科學簡訊》之邀，在該刊的今年三月號上，撰寫〈拓展「漢學與物質文化」研究的新視野〉一文，介紹筆者從二〇〇八年開始至今，連續主持的該部的這方面的四個大型研究計畫。這些計畫共包括：1）為期一年半的「超越文本：物質文化研究新視野國際論壇暨研習營」

---

9　引自收入本書中的拙作〈拓展「漢學與物質文化」研究的新視野〉一文，讀者可詳參。

學門規劃推動計畫（2008-2009），2）為期兩年的「文學藝術與物質
文化」整合型研究計畫（2010-2012），3）為期兩年的「文學藝術與
物質文化擴展」整合型研究計畫（2012-2014），4）為期三年的「國
際漢學與物質文化研究聯盟」（Consortium for Sinology and Material
Culture Studies）拋光計畫。這篇文章，現也收入本書中，使讀者可以
看到這些計畫，如何圍繞國立清華大學的推動平台，漸次在臺灣和國
際間展開的初步面貌，以拋磚引玉。

　　以上便是在去年四月的會議中，我們試圖為展開涵蓋「漢學」、
「比較文學」和「物質文化」研究三方面的「跨界」學術交流，所作
的努力的一個粗線條的簡介。

## 三

　　本書中的文章，主要為上述兩次會議的結集，[10]希望為各位參予
撰稿的學者和與會的聽眾，留下一份學術史的紀錄，並在更大範圍
內，以饗未能與會的讀者。全書分為五大部分：1）比較文學在臺灣，
2）中文世界「漢學與物質文化」研究，3）大學中的學術史，4）錢
鍾書（1910-1998）與魏理（Arthur Waley, 1889-1966），5）孟爾康
（Earl Miner, 1927-2004）之遺產。各位撰稿人都是專家「大手筆」，
這五部分中的每一篇文章，從標題到內容文字和標點格式，均為作者
自訂，筆者和出版社的編輯主要負責的是清樣的校對。有時「跨界」

---

10 本書中除附錄外，只有拙作〈拓展「漢學與物質文化」研究的新視野〉不屬於這兩
　　次會議的特邀文稿。之所以如此，是因為「中文世界漢學與物質文化研究」雖是這
　　兩次會議中的三個重點之一，然由於當時因會議時程安排較緊，該部份的內容未能
　　充分展開，而為彌補此點，本書收入拙作〈拓展「漢學與物質文化」研究的新視
　　野〉一文，提供背景的資訊，以供讀者參考。

會產生神奇的連結力量，在跨越「漢學」、「比較文學」和「物質文化」研究等三個大領域的學術背景下，這十五篇文章編為一集後，自然構成一個前後呼應的整體。筆者在本節和下節中，循著這一脈絡，從個人感受角度，略為介紹，希望為讀者了解各位專家論點的「堂奧」，提供一些思考的線索。其中本節介紹前三部分，下節介紹後兩部分。

本書的第一部分是「比較文學在臺灣」，而三位撰者都是現今臺灣比較文學界的領袖人物，分別來自臺灣比較文學界的三大「重鎮」：國立臺灣大學、中央研究院和國立交通大學。眾所周知，臺灣四十年前，是中西「比較文學」在中文世界內的發源地，曾經相當輝煌。然而，後來臺灣的「比較文學」歷經「危機」與「轉機」的在地發展史，卻較少為外界所知。廖朝陽教授的〈比較文學的轉化〉一文，從理論的高度，分析近年「比較文學」在臺灣的逐漸「幽靈化」的現象，從齊東耿（Duncan McColl Chesney）到貝特森（Gregory Bateson），村上孝之到吉彥（Claudio Guillén），旁徵博引，點出其之「不在場」（in absentia）的可能發展取向。單德興教授的〈臺灣的比較文學：一位在地學者的觀察〉一文，以歷史的深度，回顧臺灣「比較文學」從過去到現在的發展，歷歷如數家珍，使讀者看到當年的中西「比較文學」如何與「漢學」相結合，而未來的發展又怎樣可能與「臺文所」相會流的前途，披露了許多「史」的資料。馮品佳教授的〈「後」殖民女性小說的比較研究〉一文，以具體的文本為例，論證了「後」殖民理論概念，透過何種方式，能將西文世界的女性小說和臺灣女性小說的比較研究，黏合在一起，提出一個有血有肉的研究模型，其中緊密結合文學理論與臺灣文本研究的分析，讀來倍感精彩。這三篇文章，一從理論，一從歷史，一從文本，為「比較文學在臺灣」這個議題，勾勒出一幅視點互補，相得益彰的生動圖畫。筆者

作為一個「行」外的讀者，雖然不完全瞭解其中的精微之處，也覺得能從中感受到很強的整體感，而「跨界」學到了很多。

　　本書的第二部分是「中文世界漢學與物質文化研究」，撰稿由高桂惠教授和筆者擔任。如前所述，臺灣的「漢學與物質文化」研究，至今仍在中文世界居領先地位，而其近年的發展，經由科技部多種大型研究計畫的持續推動，在國立臺灣大學、國立政治大學、國立臺灣師範大學、國立中央大學和國立清華大學等北臺灣主流大學中，漸漸形成一個學術社群。高桂惠教授的〈物質文化研究在政治大學〉一文，深入討論了「物質文化」研究如何在國立政治大學的各個系所間互相協調，蓬勃發展的圖景，筆者〈拓展「漢學與物質文化」研究的新視野〉一文，則初步介紹了國立清華大學從二○○八年以來，如何以科技部四個連續性的大型研究計畫為依托，在中文世界的學術界推動「漢學」與「物質文化」研究相結合的概貌，其重點在創設一個校際的「跨界」平台，大力面向國際，與「漢學」界的「物質文化」打成一片，引領風尚。近七年來，我們邀請牛津大學中國藝術史講座教授柯律格（Craig Clunas）、劍橋大學漢學講座教授麥大維（David McMullen）、倫敦大學歷史講座教授馮客（Frank Dikötter）、哈佛大學校聘講座教授宇文所安（Stephen Owen）、普林斯頓大學漢學講座教授柯馬丁（Martin Kern）、加州柏克萊大學藝術史教授高居翰（James Cahill）等一系列國際知名漢學界「重鎮」來臺灣交流。如本文第一節中談到：筆者近年執行的本校和科技部各種大型研究計畫，其主軸為「漢學」，分別涉及「比較文學」和「物質文化」的研究。然而，需要指出的是，對於上述的各研究計畫而言，推動「漢學與物質文化」的交融，已行之有年，較為學界所知，而「漢學」與「比較文學」的「跨界」研究，還剛剛才開始，所以筆者在辦會之時，便損「有餘」以奉「不足」，使「漢學與比較文學」部分佔了很

大的比重，而「漢學與物質文化」部分的比重，卻相對甚少。在編本
書時，筆者意識到，上述辦會時這一有意的「失衡」，需要「再平
衡」，於是安排將〈拓展「漢學與物質文化」研究的新視野〉一文收
入本書，相信讀者能從此文中「一斑窺全豹」，看出筆者近年執行的
這些「漢學與物質文化」領域的大型計畫的概貌。

　　本書的第三部分是「大學中的學術史」，名稱有些籠統，內容旨
在聚焦點出「比較文學」與「漢學」在中文世界中的發展的縮影，以
凸顯去年四月兩次會議的現實學術意義。無庸諱言，以「比較文學」
與「漢學」在中文世界中的百年史而言，臺大、北大和兩岸清華具有
足夠的代表性，而撰稿人正是來自這四所大學中的相關領域的代表性
學者。國立臺灣大學臺灣文學研究所長洪淑苓教授的〈臺灣大學的現
代文學與比較文學研究〉一文，回顧上世紀七十年代，中西「比較文
學」在臺大崛起的歷史，與單德興教授〈臺灣的比較文學：一位在地
學者的觀察〉文中的部分研究對象，有不約而同的地方（在此需要說
明的是，單教授和洪教授分別參加四月的兩次不同的會議。筆者當時
在會前約稿的時候，兩位教授不僅不知道對方文章的題目和內容，甚
至不知道對方也會參加另一次會議）。然而，由於洪教授的視角從臺
大中文系出發，論述「現代文學」研究與中西「比較文學」研究這兩
朵奇葩，近四十年前如何在臺大校園內同時綻放，引領風潮的過程，
與單教授文章的著墨重點在外文系的精彩之處，絕不雷同。此外，單
教授在文中預言，未來臺灣「比較文學」的新發展，可能會以臺灣文
學研究為「比較」的方向之一，身為臺大「臺文所」所長的洪教授在
文中，也「不約而同」，呼應了這一點，讀來使人真有「英雄所見略
同」之感。

　　眾所周知，相對於臺大，大陸的中西「比較文學」的引路先鋒，
無疑是北大。北京大學中文系主任陳躍紅教授的〈比較文學在北京大

學〉一文，回顧了上世紀的八十年代，大陸的中西「比較文學」如何
在外文系楊周翰教授和中文系樂黛雲教授（楊周翰和樂黛雲教授曾先
後擔任國際比較文學學會的副會長，開創了國際比較文學學會有史以
來，由華人學者擔任副會長的先例）的推動下，逢春蟄起，蔚成風氣
的歷史。當時北大外文系和中文系合作，開創大陸中西「比較文學」
的起跑點的這段歷史，對比七十年代臺大外文系和中文系合力推動中
西「比較文學」在臺灣興起的先例，又何其相似奈爾。而兩岸比較文
學的發展，隨後卻涇渭分明：臺灣形成了以外文學門為主體的格局，
大陸出現以中文學門為支柱的態勢。這種「分流」，恰恰又為去年四
月會議的「交流」，提供了「跨界」的雙方「比較」的基礎。更有意
思的是，無論臺大，還是北大，其各自引領臺灣和大陸中西「比較文
學」的風潮，都是上世紀後半葉的事情，而「比較文學」作為一個學
科本身，在上世紀的上半葉，即已從西方傳到中國，其在大學的「生
根發芽」的「大本營」，無疑是當年的「水木清華」。此外，近十多
年來，北京清華大學以其比較文學與文化研究中心為建制軸心，繼承
百年清華的「比較文學」傳統，有不少的成績。而北京清華大學比較
文學與文化研究中心主任王寧教授的〈清華大學與中國比較文學的興
起與發展〉一文，回顧清華歷史上對「比較文學」學科發展的貢獻，
並介紹近年開出的「新花」，有相當完備的資訊。同時，如前所述，
清華也是百年間「漢學」研究的「大本營」，而近四十年來，兩岸清
華在李亦園先生和李學勤先生的分別推動下，將清華的「漢學」研究
的悠久傳統，推陳出新，繼往開來，其中的精彩「故事」，可以說三
天三夜也說不完，值得寫一部洋洋灑灑的《清華漢學史》。筆者〈清
華大學與二十世紀漢學史的交融：以聞一多為例〉一文，以「滴水觀
日」之法，僅舉出聞一多為例，略作介紹，供讀者參考。選擇此例的
原因，是因聞一多作為詩人，讀書界耳熟能詳，而其留學芝加哥的經

歷，與後來能寫出有「漢學」視野的《古典新義》等一系列劃時代學術名著之間的內在關係，也許便不是人人都知道的了。

在進一步介紹本書第四部分和第五部分的設計之前，筆者想先再整體性回顧一下本書的前面三部分的安排，因為它們與本書的後兩部分之間，存在一定程度的照應：讀者從本書的第一部分，可以看到「漢學」與「比較文學」在臺灣「先合後分」的歷史；從第二部分，則可以看到「漢學」與「物質文化」研究在臺灣「方興未艾」的現狀；從第三部分，更可以看到四十多年以來，融匯了「漢學」與「比較文學」的中西「比較文學」如何在臺大和北大相繼興起，分別引領兩岸各自領域的潮流，還可以放眼更遠的歷史，看到「比較文學」與「漢學」兩學科的西來之「風」，又怎樣在上世紀初的清華園內寧靜的「荷塘月色」中，無意間中因緣聚會，頓「起於青萍之末」，近百年來吹遍了整個中文世界。至此，本書以上這三個部分，分視若互不相關，合觀則環環相扣，然而採用的都是整體視角，較少有個別分析的例子。換言之，本書的前三部分，是學術史的「鳥瞰」，而後兩部分，則正是在「鳥瞰」之後的實例研究，它們與本書的前面三部分對讀，可以自然構成一種「整體」與「個體」、「全景」與「特寫」的互相間照應。欲見其詳，讀者請參閱下節。

## 四

本書的第四部分是「錢鍾書與魏理」，是對比較文學家錢鍾書和漢學家魏理的個人研究，有「中」有「西」，相得益彰。前者由北京大學的陳躍紅教授撰稿，後者由南京大學古典文獻研究所長程章燦教授撰稿，各有千秋，各擅勝場，使人油然想起上世紀初「北大」和

「南高」,[11]以淵源有自、各不相同的學統和學風,遙相對峙的情景。

在這部分文章中,陳躍紅教授的〈錢鍾書比較詩學方法論舉隅〉一文「主角」,是錢鍾書及其「比較詩學」的研究方法。眾所周知,錢鍾書家學淵源,學貫中西,早年出身於清華和牛津,以《談藝錄》和《管錐編》名世,到上世紀末葉,與錢穆(1895-1990)、饒宗頤等同為海峽兩岸少數頂尖中國文化研究領域大師級人物之一。然而,除了業內的同行,比較少有人知道,錢鍾書「但開風氣不為師」,在上世紀八十年代大陸「比較文學」崛起之初,曾是一位重要「推手」,默默中做過許多奠基的工作。更少有人知道,錢鍾書當年與孟爾康在國際會議上邂逅相逢,一見如故,成為知交。兩人惺惺相惜,曾在上世紀八十年代中,展望國際,共推以跨文化「比較詩學」為軸心的學術新潮流。其中的「大手筆」便是兩人經過聯手謀劃,創辦了名家齊聚、陣容堅強的第一次和第二次「中美比較文學雙邊會議」(這一點筆者在稍後還要詳細談到),在海外「漢學」界的影響尤為深遠,迴響至今猶在。廣義說,錢鍾書和孟爾康都是從「比較文學」入「漢學」的重要例子,而跨文化的「比較詩學」,正是他們所共同留下的一份珍貴遺產。在本書中,陳躍紅教授選擇以「錢鍾書比較詩學方法論」為題目,使用「舉隅」的方法展開疏理,相信會引起「行」內外讀者的興趣。

與錢鍾書相比,魏理在中文世界的知名度也許比較小,然而他在全世界學術界和知識界的影響,卻要大得多。程章燦教授久任南京大學古典文獻研究所長,研究方向卻並不限於中文的「古典文獻」,而且還涉及漢學界的西文「古典文獻」,近年尤致力於以魏理為研究對

---

11 這裡的「北大」,自然指北京大學,而「南高」則為南京高等師範學校(南京大學的前身)的簡稱。上世紀初葉的「北大」和「南高」,曾經各執中國南北方大學之牛耳,為稍熟民初教育史者所能詳。

象。本書中的〈海外漢學與比較文學：亞瑟・魏理的啟示〉和〈魏理與中國文學的西傳〉兩文，便是其新近的研究成果。魏理是上世紀上半葉倫敦的「布隆斯伯里」學派（Bloomsbury Group）的成員之一，[12]屬於當時整個英國知識界的頂尖精英圈中人物，名聞遐邇。時至今日，魏理的故居已列入英國國家級文化遺址，相當於臺灣的「一級古蹟」或日本的「重要文化財」。魏理之所以重要，不僅因為他是一位「名人」，還因為他同時是一位「奇人」。他「自學成才」，中文和日文都沒有經過正規學校的訓練，卻成為當時西方漢學界和日本學界的大宗師之一，曾經培養和影響過漢學界許多後來成為宗師級的人物，限於篇幅，筆者這裡只在華、洋中各舉一例，略作介紹，以見一斑。魏理的華人門生中，有澳洲人文科學院院士柳存仁（1917-2009）這樣的學術名流，而曾經從遊過他的洋人漢學家則有英國學術院院士杜希德（Denis Twitchett, 1925-2006）這樣的頂尖人物。[13]同時，魏理的歷史貢獻還遠遠不止在漢學領域本身，他在二十世紀上半葉中國文學西譯圈中，是公認的第一人。其之所以能坐「第一把交椅」，是因為他的翻譯絕不「忠實於原文」，有一半是本人的天才再創作。讀魏理的翻譯，好像中國的作者，不是用中文在寫作，而是用英文在寫作，如此才把中國文學的名著，長久帶到英文世界的讀者心中。以筆者見聞所及，近代中國能與他比美的翻譯家，也許只有林琴南（1852-1924）一人而已。本書中程章燦教授的〈魏理與中國文學的西傳〉一

---

12 該「學派」的成員包括作家伍爾芙（Virginia Woolf, 1882-1941）和經濟學家凱恩斯（John Keynes, 1883-1946）等人文社會科學界名流，定期在倫敦「布隆斯伯里」附近聚會，在西方影響深遠，幾乎成為一種傳奇，在中文世界卻至今仍少為人知。魏理為此「學派」中唯一瞭解地處遠東的中國文化和日本文化的人物。

13 杜公的貢獻，詳參作為「附錄」收入本書中的拙作〈杜希德與二十世紀歐美漢學的「典範大轉移」：《劍橋中華文史叢刊》中文版的緣起說明〉一文。

文，研究的便是魏理在該領域的貢獻。同時，魏理以詩人、漢學家、翻譯家和社會賢達，馳名於世，卻很少有人認為，他還是一位比較文學家。本書中程章燦教授的另一文〈海外漢學與比較文學：亞瑟・魏理的啟示〉，探索的是如何從魏理身上，看到「漢學」與「比較文學」間的交匯點，相信一定會給讀者意想不到的啟發。

本書的第五部分是「孟爾康之遺產」，從孟爾康對中西「比較文學」事業的貢獻出發，圍繞其在「漢學與比較文學」領域所留下的遺產，展開切實的探討。孟爾康在二十世紀末葉的中西「比較文學」史上，本身也是一個「傳奇」，其人其事，為西方學術界所耳熟能詳，而在中文世界，至今卻仍鮮為讀者所知，筆者在此僅略述數端，以作為分享。孟爾康在西方，是比較文學界、英國文學研究界和日本文學研究界的三棲人物，在每個領域均有傑出的貢獻。他曾任國際比較文學學會（International Comparative Literature Association）會長和美國密爾頓研究會（Milton Society of America）會長。同時，他深通日文，在上世紀後半葉的四十多年中，推動日本文學與西方文學的比較研究，不遺餘力，在美國和日本的人文科學界極具影響力。當時的中西「比較文學」初起，聲勢遠不如今天浩大，美國的東西「比較文學」還是以日西「比較文學」為主流。記得上世紀九十年代，孟爾康獲授日本政府的「旭日勳章」，日本駐紐約總領事專程到普林斯頓舉行頒獎儀式（通常這類國家級頒獎儀式，都在該國大使館或總領事館舉行），榮典極隆，儼然是美國的東西「比較文學」界的領袖。正因為如此，孟爾康雖然並不是漢學家，卻自上世紀八十年代開始，長期以來被視為中西「比較文學」的主要推動者。也正因為如此，他與錢鍾書共同籌辦的首屆「中美比較文學雙邊會議」八十年代初在北京召開時，孟爾康為美方十人學術代表團的團長，而漢學界名聞遐邇的史丹福大學教授劉若愚則是副團長，其特殊地位可見一斑。

　　因為中文世界對這樣一位大師級人物，至今知之甚少，孟爾康的「故事」，更加一言難盡。本部分的三篇文章，分別從不同的角度，略述一二，以饗讀者。樂黛雲教授的〈孟爾康與中文世界的比較文學〉一文，是其中的第一篇。樂先生是目前中文世界中碩果僅存的少數幾位孟爾康生前的平輩好友之一，而她本人也正是大陸比較文學近四分之一個世紀以來公認的引路人，這次以八十多高齡，仍惠賜這篇聲情並茂的大作，從大陸的比較文學融入國際學界的歷史和自己的親身經歷，披露不少鮮為人知的資料，綜論孟爾康的貢獻，非常難得，筆者相信讀者自能感受到其中的感人之處和不平常的價值。王寧教授的〈孟而康與比較詩學的超越〉一文，聚焦於孟爾康畢生研究的跨文化「比較詩學」，並且討論它在今天和未來的語境中，將會如何發展，甚為精要。王寧教授以北京清華為基地，繼承前賢開創的第一屆和第二屆「中美比較文學雙邊會議」的傳統，參予籌辦了第三屆到第六屆雙邊會議，是撰寫此文的一位上佳人選。還有，孟爾康當時以普林斯頓為大本營，幾十年如一日，採用比較文學的視野，培養了一大批「漢學」領域的博士研究生，使如今在美國和世界其他國家大學的比較文學系與中文系教授中，出現了二十多位普林斯頓校友。這些同門中，筆者正好是最後一位，可說是老師的「關山門」弟子。筆者〈孟爾康漢學遺產的比較文學脈絡〉一文，以當年求學時的親身感受，重點介紹孟爾康如何打破漢學與非「漢學」的界限，寫出一系列「跨界」比較研究的經典學術著作。信筆所至，恩師的音容笑貌，歷歷如在目前，因此拙文在學術性語言的外觀下，內中帶有一定的個人回憶色彩，拋磚引玉，求教於方家。

# 五

　　本書橫跨的「漢學」、「比較文學」和「物質文化」研究三領域，雖然乍一看，似乎相互之間的關聯不太大，其實可以拼接成一個有機的整體。筆者個人認為，這裡拼接的黏合劑，便是二十世紀漢學的「典範大轉移」。為了使漢學的「典範大轉移」與中西「比較文學」和「物質文化」研究之間的學術史脈絡的交會更加清晰，筆者先需要簡介五年前提出「漢學典範轉移」說的綱要大略如下：漢學是一門歷史悠久的學問，在幾個世紀的發展中，經歷了兩次「典範大轉移」（paradigm shift）：第一次從十九世紀的上半葉開始，到二十世紀上半葉第一次世界大戰前後，完成了從「傳教士漢學」到「學院派漢學」的「典範大轉移」，地點發生在歐洲內部。第二次則出現在二十世紀中葉第二次大戰前後，這是一場從以歐洲為代表的「東方學」（Oriental Studies）之漢學「典範」，到以美國為代表的「區域研究」（Regional Studies）之漢學典範的「大轉移」。以前作為「東方學」一部分的漢學（Sinology），主要是研究中國古典，而此後作為「東亞研究」一部分的海外中國學（Chinese Studies），開始逐步轉向以現代中國研究為主。進入二十一世紀後，世界發生巨大變化，在全球範圍的廣義的漢學研究的「氣運」，正在以相當快的頻率，由西文世界向中文世界移動。如照此速度，也許只需要再過十五到二十年，漢學研究的重心，便會從歐美返回到東亞來，出現第三次國際性的「典範大轉移」。這場「典範大轉移」，其實從二十世紀末已悄然開始，根據筆者對之所作的「有跡象的預測」看，未來它或許會以「中

文」的書寫媒介與「西文」書寫媒介並重，作為變化的標誌之一，因為語言、思維模式與「典範」三者之間，具有千絲萬縷的關係。[14]從本書的五個部份中，相信可「以點帶面」，約略看出在其第二次和第三次的「典範大轉移」中，漢學如何「跨界」滲入到「比較文學」和「物質文化」研究領域內的圖畫。關於漢學的三次「典範大轉移」更詳細的說明，讀者請參考附錄中筆者的〈杜希德與二十世紀歐美漢學的「典範大轉移」：《劍橋中華文史叢刊》中文版的緣起說明〉一文。

　　總而言之，編者希望透過以上種種，能有助於讀者瞭解本書內容的來龍去脈。限於篇幅，這篇編序行將結尾。在編序的尾聲中，筆者要感謝本書中各位慨允與會和撰稿的專家，共同構造了這一樣本包括「漢學」、「比較文學」和「物質文化」研究等三個大領域的「跨界」對話的學術著作。它即將走到讀者中去，與他們進一步「對話」，獲得屬於自己的生命。

編者
於二〇一四年五月

---

14 以上論述，錄自作為「附錄」收入本書中的拙作〈杜希德與二十世紀歐美漢學的「典範大轉移」：《劍橋中華文史叢刊》中文版的緣起說明〉一文。

比較文學在臺灣

# 比較文學的轉化

## 廖朝陽

最近中華民國比較文學學會在本身的電子報規劃了一系列檢討比較文學現況的文章，邀請各種背景的學者就比較文學（主要是臺*灣的比較文學）過去、現在、未來的發展提出觀察與評論。這一系列表述當然有其規劃取向的限制，尚未必能完全代表當前臺灣比較文學存在的各種樣態，不過其中的觀點涵蓋了傳統比較文學建制的主要部分，具有一定的代表性應該沒有問題。

由這一系列文章看，我可以用一句話來歸納目前比較文學在臺灣的存在狀態，那就是比較文學已經幽靈化。學院體制內幾個獨立的比較文學系所在短短數年間紛傳退場，此後除了李育霖所謂「借屍還魂」，比較文學似乎已經不太會有其他出路。朱偉誠用「思想資源」來形容比較文學的「議程已然有了一定程度的完成」，特別是在外文學門「培養出一代有獨特視角的外文學者」，啟發了「開放靈活」的研究態度。他肯定比較文學的歷史貢獻值得重視與檢討，但並未完全否定比較文學仍然保有某種形式的存在。這是因為個別語種的專業化仍然存在許多框架限制，比較文學在體制外提供的平臺（主要是比較文學學會的活動）也仍然能吸引許多來自不同語種的學者參與。但是「思想資源」總是指向「實體資源」的反面。比較文學的理想只有部分完成，也就是各語種文學仍有許多內部框架限制沒有打破，使體制

---

＊ 編按：為統一格式，全書「台」均以「臺」呈現。

外活動保留其吸引力。但如果目前的成果是來自前一階段比較文學短暫擁有學科建制的實體資源，未來在大致失去實體資源的情況下，這個部分完成狀態只會後退而不會進一步走向完成，似乎是最可能，最可預期的結果。

電子報系列文章中出現的許多個人經驗可以說明比較文學的目標的確在「一定程度上」已經得到實現。例如出身輔大比較文學所，任教於中央中文系的呂文翠提到自己「廁身中國近代文史，持論立場卻近比較文學／文化，前不似傳統，後不輕易言『跨』……首先必須潛心熟知對象，得有文史互證的堅實功底，再將比較文學／文化的學理精髓滲透於闡述，否則橫跨縱躍終是徒然。」一方面，這顯示比較文學的學理在其他領域的知識過程中確實「有用」，而且能發揮游離於「傳統」之外的特殊性。另一方面，這樣的部分實現也顯示比較文學的未來相當受限：在離開實體資源後，比較文學的學理多半不會有進一步的開展，大致只能「滲透於闡述」，回歸「橫跨縱躍」的輕功定位來輔助語種專業研究的「堅實功底」。

齊東耿（Duncan McColl Chesney）的說法算是最樂觀了。他認為比較文學是「英語研究的未來」。雖然他的說法比較像是回歸到有實體依據的比較關係（任何時代的英語文學都會受到外來文化的影響，所以不能排除比較性），但應該仍是接受目前依附在國家文學下的比較研究有其限制（包括對語文或文化能力的要求太高），就像舊約只能「預表」新約一樣，雖然有現實效力，但歸根究底只是尚不完滿的虛像，雖不必「借屍還魂」，至少是指向投胎轉生的未來性。

如果我們不拘泥於「實體」的意思，以上這些講法當然或多或少都不否定比較文學還保有某些實體資源的連結性，可以透過各種方式延續比較文學的「遺產」。這裡想指出的是：這個幽靈化的轉折其實還有一個有待澄清的問題，也就是幽靈含有何種預設位階，何種虛

相對於實的想像關係？朱偉誠指出各語種文學有內部框架限制，其實含有一個較隱晦的意思，也就是幽靈具有不散、持久的性質。也就是說，在學院知識市場化、效率化、淺碟化的大方向中，比較文學要對抗的並不是語種專業分工的形式合法性（至少不是「堅實功底」的部分），而是分工背後更大的全球化、資本化幽靈。專業語種知識通常已經多元化，不排斥各種品味、評價標準、批評方法等等，看似很有彈性（flexibility），但一旦拒絕納入外部關係的考慮，就可能隱藏由外部權力決定的大框架。這時研究者感到受限（並受到比較文學吸引）並不是因為專業領域缺少彈性意義下的自由，而是因為無法接近真實基礎而無從選擇，失去變化性（plasticity）。

在這個考慮下，比較文學的幽靈化就具有必然性，不再是在學院建制中有沒有實體基礎的問題：比較文學處理的通常是文學的外部關係（context），其長處是透過外部關係來轉變對內部關係的理解，含有貝特森（Gregory Bateson）所謂邏輯類型的移動：由學習走向學習方式的學習或者說由知識走向知識規範的知識。也就是說，比較文學原本就具有游離於體制之外的幽靈特質，對「靈界」的黑暗也特別敏感。當知識系統受到外部權力的干擾或影響，系統內部解決問題的方式因為必須迎合快速變易的權力而產生彈性，卻總是在無知覺中偏向特定方向。這時如果停留在內部框架，理論上固然也有可能透過檢討其中的多重決定來認知外部因素，但是比較文學熟悉外部關係的各種運作方式，透過其知識應該更容易進入更直接，更有效的參考架構。

有趣的是，這個幽靈對抗幽靈的架構在村上孝之（Takayuki Yokota-Murakami）抨擊比較文學不遺餘力的專書《東西唐璜》（*Don Juan East/West: On the Problematics of Comparative Literature*）裡表現得特別奇異也特別清楚。村上的論述大致有兩個重點：一是美國比較文學自始就與馬歇爾計畫的霸權思維牽扯不清（等同被邪靈控制），

一是唐璜與日本「色男」不論在較具體的角色、性格還是在抽象化的唐璜性、唐璜現象、戀愛觀、性愛觀等等層次都無法找到有意義的比較基礎,只能複製歐洲中心、主體中心的人文主義普遍性框架,離不開比較暴力的自戀迴路。

這類批判最大的盲點當然是沒有把自己的比較框架當成可以觀察的對象。村上認為不僅實體對象要歷史化,現象的比較解釋也要歷史化:「性愛觀如何在地圖上標定位置是可以歷史化的,而且不僅如此,連這幅地圖本身也是在歷史當中」(147)。問題是他批評別人的地圖沒有歷史,早已假設有一個具有比較性的批評標準,一個不必歷史化,也不會排斥他自己的日本身分的,地圖的地圖。由這個角度看,村上整個論述的背後其實是把後結構理論對抗歐洲人文主義的(西方)思想鬥爭在後臺重新搬演一遍。兩者要爭取的其實都是靈界的霸權:這種後結構理論假設所有(看不見的)外部關係最後必須依止在一個不必歷史化的思想地圖上,理由是:只有這樣,各種必須歷史化的幽靈才不會佔據這個不必歷史化的例外位置。

村上的論述比較特別,是因為它的論述過程回歸正統比較文學的做法,透過詳盡的日本文化史材料來排除理論,達到否定材料可比較性的目的。這種求異不求同的比較論述在技術上完全沒有困難度(實際上也可能涉及源自博士論文的書寫形態),卻必須建立在一個巨大的盲點上。也就是說,文獻材料的詳盡並不能掩蓋村上一開始就做了一個極度牽強的操作:他把吉彥(Claudio Guillén)的超國家性三模型(69-92)當成檢討的主要對象之一,也指出其中第三模型(「由文學理論延伸出來的原則與目標」)是眼界最寬廣,吉彥最肯定的模型(Yokota-Murakami 8)。但是全書的內容既然是以歷史化為大方向,討論侷限於具體材料以及不脫離材料的觀念歸納(戀愛觀、性愛觀等等),其實並沒有針對第三模型的核心也就是理論與普遍性的關係提

出任何說法，甚至沒有認知到本身預設的後結構派觀點其實也是建立在普遍性上的理論，早已落入常見的第三模型操作。

按照臺灣學者張漢良早已指出的連結（見 Chang），可比較性的基礎與理論有密切關係：因為理論顯示出表面可見的現象背後另有不易察覺的種種連結，因此比較關係才能在比較項目「不在場」（in absentia）的情況下進行。這個觀察的背後涉及比較文學的美國學派轉向理論研究的大方向，以及因此引起的種種辯論。比較項目不在場而比較仍有意義，是因為動力來源越是不在場，可能越能發揮槓桿作用。村上的操作代表這個原則的顛倒運用：理論越是隱形、不在場，反而更能用力決定前臺的實體材料如何解讀。

臺灣比較文學近年來的轉化受到美國較大的影響，前面說的幽靈化可說是在大環境資源不足的情況下提前呈現美國學界尚未明確化的趨向：比較文學也可能變成「不在場」。如此，我們可以再重複一次上面所問的問題：這個「不在場」的轉化是否必須進一步連結到比較文學本身的外部，也就是在控制社會或展演社會中，知識是否因為陷入「必須在場」的現實性，早已投靠不在場的權力幽靈？村上的操作透過排擠比較文學與理論的連結來遮掩比較文學與理論共有的不在場效力，也遮掩了比較文學由實體封閉走向理論開放的轉化方向。由倒影來推論，也許我們應該說比較文學所長其實不是宋澤萊式的靈界對戰，而是具有彌賽亞動力的「無非」性，因不散而無所不在（見 Bielik-Robson 67-72 對阿岡本「無非猶太人」的引申）。按這個觀點，比較文學的「闡述」不會或不應停留在實體之外，而是保有「滲透」能力，在最具體的歷史材料中也會發揮作用，通過多出來的，來自不在場內容的殘餘而保留通向外部的比較性。如何論述這種失去認知建制的片斷實體，是我們必須面對的課題。

# 引用書目

朱偉誠。〈定位與連接：作為思想資源的臺灣比較文學〉。《比較文學學會電子報》1（2012年12月）：頁14-15。另刊於《中外文學》41.4（2012）：217-19。

呂文翠。〈比較文學於我〉。《比較文學學會電子報》3（2013年3月）：5-7。

李育霖。〈比較文學如何借屍還魂？〉。《比較文學學會電子報》2（2013年1月）：7-8。

Bateson, Gregory. "The Logical Categories of Learning and Communication." *Steps to an Ecology of Mind*. 1972. Chicago: U of Chicago P, 2000. 279-308.

Bielik-Robson, Agata. "Messiah without Resentment, Or What Remains of Messianism in Giorgio Agamben's *Remnants of Auschwitz*." *Bamidbar: Journal of Jewish Thought and Philosophy* 1.1 (2011): 67-97.

Chang Hanliang. "Western Theory as 'Colonial Discourse'? Or, (One More Time!) The Permanent Crisis of Comparative Literature." *Os Estudos Literáios: (entre) Ciência e Hermenêutica*. Ed . Maria Seixo. Actas Do Primeiro Congresso Da Associaçâo Portuguesa de Literatura Comparada. Lisbon: APLC, 1989. 179-89.

Chesney, Duncan McColl. "Comparative Literature as the Future of English Studies."《比較文學學會電子報》1（2012年12月）：6-9。

Guillén, Claudio. *The Challenge of Comparative Literature*. 1985. Trans. Cola Franzen. Cambridge: Harvard UP, 1993.

Yokota-Murakami, Takayuki. *Don Juan East/West: On the Problematics of Comparative Literature*. Albany: State U of New York P, 1998.

# 臺灣的比較文學
## 一位在地學者的觀察[1]

## 單德興

　　比較文學從一九七〇[*]年代初期在臺灣發展至今已四十年，就一個學門的發展而言，四十年的歲月應已留下相當的軌跡與成績，可供回顧與評估。面對在臺灣已逾不惑之年的這個學科，本文謹以一位臺灣學者的個人觀點，從在地化、歷史化與建制化的角度進行反思，觀察比較文學這個學科從歐美來到臺灣，四十年來發生了哪些現象？有些什麼特色？其實，斷代或劃分階段難免「抽刀斷水水更流」的窘境，本發言應金萱會主辦人陳玨教授之邀，在時間與篇幅限制之內，試圖從五個階段略述比較文學在臺灣的發展，以為海峽兩岸與會學者之參考，思慮不周、掛一漏萬之處實屬必然。

---

1　感謝清華大學陳玨教授邀約於今年四月七日金萱會上口頭報告。本發言稿部分根據筆者二〇一〇年三月二十六日至二十七日於國立東華大學中國語文學系主辦的第四屆「文學傳播與接受」國際學術研討會所宣讀的論文〈比較文學在臺灣：單眼管窺〉以及二〇一〇年於國科會慶祝民國百年之專書所發表的〈比較文學在臺灣〉一文。

*　編按：為使頁面整齊，行文中敘述文句遇數字均改以中文方式呈現；唯書名、引文、資料出處，括號內年代，學術規範標示等，不在此限。以下同。

# 一 風起雲湧，內外接軌

回顧比較文學一九七〇年代在臺灣的發展，可發現倡導者是以高度自覺的方式來提倡這個學科。以公認的兩位主事者朱立民與顏元叔教授為例，前者時任臺大文學院院長，後者為臺大外文系系主任，在筆者、李有成和張力的《朱立民先生訪問紀錄》中，受訪者坦言當時臺灣沒有條件發展英美文學博士班，即使勉強設立也難有特色，「還不如得到中文系的幫助，成立一個比較強的比較文學博士班」（132）。換言之，以中華文化正統自居的臺灣學術界，體認到自我定位與國際學術分工的重要，在此情境下，提倡比較文學既可將國外盛行的學科引進來，讓臺灣學界接受新的刺激與知識洗禮，以比較的視野來深化文學研究，進而展現中國文學與文化相關的特色與利基，也能在當時艱困的國際環境下，發揮學術合作與文化交流的作用，讓臺灣走出去。因此，若干具有指標意義的外文系與中文系學者決定結合彼此的力量，倡導比較文學。從中華民國比較文學學會的發起書（如圖）*就可看出，發起人以臺大文學院的外文系與中文系學者為主，包括了訪問學者與外籍學者，也有少數外校的代表性學者。

現在回顧，這稱得上是一個相當明顯而且成功的全球在地化現象（glocalization），因為倡導者一方面放眼世界，努力與國際接軌，另一方面又強調學術扎根，鼓勵用中文撰寫論文，讓更多人分享研究成果。主其事的朱立民與顏元叔教授積極引進美國的新批評（New Criticism），進行實際批評，推動外文系的課程與教學改革（如引進以文本閱讀為主的英美文學史課程，將中國文學史列為必修），同時也希望善用中國文學與文化的資源，作為國際競爭的利基與特色。此外，當

---

* 編按：原刊如圖處，本書移至書前圖版，頁一

時中華民國的國際處境艱難，年年面對聯合國大會的「排我納匪案」，終於在一九七一年退出聯合國，因此這些提倡比較文學的學者多少也秉持著「書生報國」之心，力圖加強臺灣與國際學界的交流。

## 二　多方部署，積極創建

比較文學在臺灣的發展，從學術建制的角度來看最為明顯，也就是筆者所謂的「一會二刊五班」：

| 一會 | 中華民國比較文學學會 | 一九七三年七月創立 |
|---|---|---|
| 二刊 | *Tamkang Review*（《淡江評論》） | 一九七〇年四月創刊 |
| | 《中外文學》 | 一九七二年六月創刊 |
| 五班 | 臺灣大學外文研究所博士班 | 一九七〇年至今 |
| | 輔仁大學比較文學研究所 | 一九九四至二〇一〇（自二〇一〇年起改為跨文化研究所下之比較文學博士班） |
| | 中正大學比較文學研究所 | 一九九九至二〇〇七* |
| | 東吳大學比較文學碩士班 | 二〇〇一至二〇一一 |
| | 東華大學比較文學博士班 | 二〇〇五年至今 |

若依時序排列主要學術建制的創立與相關活動，更能看出一九七〇年代，尤其是該年代前半的重要性：

---

\* 編按：行文中數字若為一段範圍，則在數字間以「至」字聯結。以下同。

| | |
|---|---|
| 一九七〇年四月 | 《淡江評論》創刊 |
| 一九七〇年 | 臺灣大學外文研究所設置博士班 |
| 一九七一年七月 | 第一屆國際比較文學會議 |
| 一九七二年六月 | 《中外文學》創刊 |
| 一九七三年七月 | 中華民國比較文學學會創立 |
| 一九七六年七月 | 第一屆全國比較文學會議 |
| 一九七六年七月 | 《中外文學》「中華民國第一屆比較文學會議專刊」 |

　　上述建制創新綿密緊湊，相輔相成。在期刊方面，先於一九七〇年創立英文期刊《淡江評論》向國際發聲，創刊時的副標題 "A Journal Mainly Devoted to Comparative Studies between Chinese and Foreign Literatures" 表明其主要定位為「中、外文學比較研究」，出版學校（淡江文理學院）有意藉此樹立在國內、外比較文學界的名聲；兩年後臺大外文系創立的中文期刊《中外文學》，定位由名稱就一目瞭然，首任主編胡耀恆在〈發刊辭〉中揭示此期刊的三大方向：文學創作、中外文學研究、外國文學譯介。一九七〇年臺大外文研究所博士班的創立，初衷在於培育我國的比較文學研究者，這批最早的臺灣外文研究所博士生積極致力於中、外文學比較研究，為比較文學在臺灣與華文世界的奠基發揮了相當的作用。

　　以上期刊與學制的建立固然發揮了引領風氣的作用，然而能容納的同好畢竟有限，為了推廣比較文學，遂有成立中華民國比較文學學會之議，發起書上明確描述了其用意與期盼。在成立專屬的學會後，大大有利於各項活動的推動。多年來《淡江評論》、《中外文學》與學會的關係密切，甚至許多時候被視為學會的「機關刊物」，而在早期投稿者中也不時出現臺大外文研究所比較文學博士班的師生。

## 三　琳瑯滿目，影響深廣

　　一九七〇年代的多方部署在往後多年的臺灣文學界與知識界發揮了很大的作用。《淡江評論》致力於中、外比較文學與理論研究，提供了國內、外相關學者的重要交流平臺，並與四年一度的國際比較文學會議密切合作，刊登相關論文，打響名號，在其網頁有如下的自我描述：「一向與中文之《中外文學》（臺大外文系所發行）並稱為中西比較文學界最具份量的兩本學術期刊。」[2]

　　《中外文學》不僅成為臺灣首屈一指的名刊，也是華文世界的指標性刊物之一。創刊號楬櫫的三大方向中，在中外文學比較研究方面扮演了領頭羊的角色，除了一般投稿的學術論文，也有配合比較文學會議出版的專號。值得一提的是，自一九九〇年代起，為了回應市場需求以及學術風潮與批評理論，有許多年幾乎期期推出專輯或專號，引介風行的文學與文化理論以及相關議題，在國內的文學界、甚至文化界開風氣之先。[3]《中外文學》在其他兩方面也有良好的表現，如文學創作方面連載王文興的《家變》，外國文學譯介方面連載林文月翻譯的《源氏物語》，後者並由中外文學社出版專書，二書都成為臺灣文學史與翻譯史上的代表作。

　　比較文學學會多年來一直是臺灣外文學門唯一的學會（有別於跨學門的中華民國美國研究學會〔成立於一九七八年〕與中華民國文化研究學會〔成立於一九九八年〕，至於中華民國英美文學學會則成立於一九九一年），組織健全，財務穩固，除了每年召開的全國比較文

---

2　讀者可參考 http://aspers.airiti.com/TKR/WebHome.aspx。
　（編按：原網址已找不到頁面，請見短網址 http://goo.gl/8hUrMa）
3　此處因篇幅所限，無法包括筆者在口頭報告時所列出之一九七二至二〇一二年總共一百八十七個專輯或專號。

學會議之外，就是四年一度的國際比較文學會議，以及（自二〇〇五年起）兩年一度的東亞比較文學會議，相關活動與研究成果大都刊登於《中外文學》與《淡江評論》。[4]

在學程方面，臺大比較文學博士班獨領風騷多年，最初吸引了不少外文系與中文系的研究生就讀，因為設在外文系，所以期末報告與學位論文必須以英文撰寫，教學內容也以文學為主。直到一九九四年，輔仁大學成立比較文學研究所，這是我國第一個以「比較文學」命名的研究所，強調跨領域的研究，學位論文的語言則不限於英文。此後中正大學與東吳大學於一九九九年與二〇〇一年分別成立比較文學研究所與碩士班，東華大學於二〇〇五年成立比較文學博士班，這些也都設立於外文系之下。

這些發展對於國內文學界、甚至文化界的發展有著相當深遠的影響。除了散播比較文學的種子、培育兼具中外視野的比較文學學者、引介外國文學與文化理論之外，對於中文學界也發揮了相當的影響，在其創立學會、舉辦會議、出版論文等方面都可看出。此中最明顯的是新批評的引介與運用到實際批評，這方面顏元叔教授貢獻厥偉，除了介紹新批評相關理論之外，並以新批評的方法分析中國古典詩、現代詩與現代小說，縱然不乏爭議之處，所受到的矚目與開創之功則不容否認。

---

4　此處因篇幅所限，無法包括筆者在口頭報告時所列出之一九七一至二〇〇九年總共十屆的國際比較文學會議主題，以及一九七六至二〇一二年總共三十五屆的全國比較文學會議主題，讀者可參考中華民國比較文學學會網頁 https://sites.google.com/site/claroc100/xue-hui- huo-dong/3-guo-ji-bi-jiao-wen-xue-hui-yi 與 https://sites.google.com/site/claroc100/xue-hui- huo-dong/2-quan-guo-bi-jiao-wen-xue-hui-yi?o set=0。

（編按：原網址至今已找不到頁面。）

## 四　盛極而衰，榮景不再

　　比較文學在臺灣的發展是本地文學與文化景觀的重要一環，由於學會、期刊、學程交互作用，有二、三十年可說處於一枝獨秀的局面，然而隨著不同學科在國內、外的發展，比較文學逐漸出現了衰微的情形，這些也都具體反映在上述的學術建制。以學會為例，比較文學學會近年來主要面對兩個學會——中華民國英美文學學會與中華民國文化研究學會——的競爭。也是在朱立民教授大力倡議下，中華民國英美文學學會於一九九一年成立，擁有自己的刊物《英美文學評論》。英美文學學會由朱教授擔任首任理事長，早期有一番榮景，其後有幾年式微，在筆者擔任第六屆理事長期間（二〇〇〇年一月至二〇〇二年一月），有人鑒於兩個學會的成員與理監事高度重疊，為了節省資源，甚至建議併入比較文學學會。但在理監事與會員的支持與通力合作下，財務狀況趨於穩定，活動正常運作，終能自谷底攀升。爾後在各屆理監事與會員努力下，並得到國科會的挹注，更趨蓬勃發展，近年來已與比較文學學會相庭抗禮，成為既合作又競爭的對象。相較於比較文學，英美文學在臺灣的歷史更久遠，系所遍佈全國，在學術建制上更穩固而普及。

　　為了回應文化研究（Cultural Studies）的國際學術風潮，中華民國文化研究學會於一九九八年成立，標榜跨學科之研究，成員與歷任理事長許多來自外文學界，且由於包括對於理論與視覺研究等的重視，以致與比較文學的研究領域有若干重疊，再加上關注相關社會議題，尤其吸引年輕學者／學子，對比較文學學會形成另一種挑戰。然而換個角度來看，雖然比較文學學會不再享有一枝獨秀的地位，但這種現象反映了國內學術發展更為多元，學術人口足以支持不同的學會——即使彼此之間有不少重疊。然而這也造成比較文學學會有些「市場區

隔」不清的現象，有待進一步釐清自己的定位並凸顯特色。此外，比較文學學會沒有自己發行的學術期刊，因此無法向國科會申請相關資源，也是較不如其他兩個學會之處。

　　「二刊」近年來也有些重要的轉變，對外是為了反映國際學術潮流，對內則是為了因應國科會的期刊評比以及審查／編輯實際作業之需。如《淡江評論》固然在中外比較文學研究上有著相當的貢獻，但稿源有些起伏，為了因應國際學術思潮以及每年出刊期數與審查作業的要求而有所調整，這些由其副標題便可看出：由原本的"A Journal Mainly Devoted to Comparative Studies between Chinese and Foreign Literatures"，一度改為季刊 "A Quarterly of Comparative Studies between Chinese and Foreign Literatures"，目前則為 "Literary/Cultural Studies"（文學／文化研究），不再強調中外文學之比較研究，範圍更為寬廣，並改為半年刊。

　　《中外文學》在多年發展中也逐漸轉型，創刊時三個方向中的創作與翻譯逐一淡出，只偶爾出現學術翻譯，以致如《家變》與《源氏物語》般在臺灣文學史與翻譯史上的代表作已成絕響（雖然二者都出現於該刊網頁的自我描述，成為往日的榮光）。[5]此外，為了因應國科會期刊評比，以致根據其標準作業程序所進行的審查過程與時間較為繁複冗長，為期更能確保編審程序與學術品質，自二〇〇七年（第三十六卷）起由月刊改為季刊，與其他學報在走向與形式要件上趨於同質。

---

5　讀者可參考 http://www.forex.ntu.edu.tw/icon/riki.php? CID=1&id=%E4%B8%AD%E5%A4%96%E6%96%87%E5%AD%B8%28%E4%B8%AD%29。
　　（編按：原網址已找不到頁面，請見短網址 http://goo.gl/pP7j9D）

　　至於「五班」的轉變則更為重大。由於國內學術生態漸趨成熟，更多學者足以勝任英美文學博士班之教學，國內的英美文學博士班愈來愈多，因此臺大外文系博士班不再限定於提供比較文學的訓練，而擴及英美文學，既可善用該系已有的英美文學教學與研究資源，也可接續其歷史悠久的英美文學碩士班。輔仁大學的比較文學研究所原本集中於博士班，著重於跨文化、跨學科之特色，但隨著生源問題與教育部對專任教師員額的相關規定，自二〇一〇年起與翻譯學研究所、語言學研究所整併，成為跨文化研究所下的比較文學博士班，在位階上有所降低。中正大學於一九九九年成立的比較文學研究所，重點在於比較文學與翻譯研究，二〇〇二年設立之博士班則強調英美文學與比較文學，然而在比較文學方面的發展與原先目標出現落差，遂於二〇〇八年轉型為英語教學研究所，以致臺灣中、南部不再有比較文學相關學程。

　　本世紀則有二〇〇一年東吳大學英文系創立的比較文學碩士班與二〇〇五年東華大學創立的比較文學博士班。前者的教師包括李達三、袁鶴翔以及紀秋郎等比較文學在臺灣開疆闢土時的前輩學者與本國早期訓練的比較文學博士，課程目標在於跨文化、跨媒體、跨學科，並著重臺灣與中國文學與文化於比較文學中之意義。然而在資深學者相繼退休後，該學程於二〇一一年劃下句點。至於東華大學的比較文學博士班，則為東部唯一提供相關學程者，配合該校其他教學與研究資源，尤以幻奇文學研究為重點，但也面對若干困難與挑戰。

## 五　重新整裝，再度出發

　　根據上節描述，臺灣的比較文學前景堪憂，在一些學者看來似乎是「眼見他起高樓」，又「眼見他樓塌了」。其實未必。首先，比較

文學式微在國際上相當普遍,並非臺灣獨有的現象。論者常提到巴斯奈特(Susan Bassnett)於一九九三年出版的《比較文學批判性導論》(*Comparative Literature : A Critical Introduction*)與史碧娃克(Gayatri Chakravorty Spivak)於二〇〇三年出版的《一個學科的死亡》(*Death of a Discipline*),為比較文學提出警訊,甚至敲響喪鐘。其實,檢視比較文學這個學科的歷史,就會發現「比較文學的危機」打一開始就是重要議題,多年來反覆出現。筆者記得在就讀臺大比較文學博士班一年級時,就有位老師在最後一堂課結束時重複地說:"We are fighting a losing battle."(「我們是知其不可而為之」),令筆者印象深刻。那已是三十多年前的事了。但在這三十年間,比較文學在臺灣不僅有過輝煌的歲月,很多時候更扮演著先驅者的角色。

其次,比較文學的「沒落」也可能是以另種方式印證了它的成功。有如新批評所強調的細讀(close reading)已被內化,視為理所當然,比較文學對於理論、跨學科、跨媒體、跨文化……的重視如今不僅被外文學門內化,也被許多學科視為當然,因而失去了以往的特色與吸引力。筆者去年參加東吳大學主辦的比較文學會議,遇到博士班時的另一位老師,他不只一次提到:"Comparative literature has run its course."。然而比較文學果真「完成了階段性任務」而壽終正寢?

作為「吃比較文學奶水長大」的筆者則有著不同的感受。一如薩依德(Edward W. Said)在文章中不時提到自己受益於比較文學之處,筆者個人也時時感念受惠於此學科之處,而且願意藉此機會表示「效忠於比較文學」,其中一例就是,在筆者看來自己從事的翻譯研究屬於比較文學的範疇,而不像有些學者主張把比較文學納入翻譯研究的範疇。

再者,有關比較文學的探討與反思所在多有,多年來的專文與專書不勝枚舉,較為顯著的則是美國的比較文學學界針對學科現況的

反思與未來的展望所定期出版的專書。我國學者對於相關議題的討論
也屢見不鮮，遠的姑且不提，最近的包括了比較文學學會的電子報自
二〇一二年十二月至今已經出版六期，邀請在我國的中、外學者，尤
其學術新銳，從不同角度檢視這門學科。這個平臺所提供的多元內
容，足證許多人對於相關議題的關注，絕非一個「奄奄一息」或已然
告終的學科。而今年十二月將於淡江大學舉辦的第十一屆國際比較
文學會議，由主題 "After the World: New Possibilities for Comparative
Literature"（「世界之後：比較文學的新可能性」〔此為筆者自譯，學
會並未提供中文翻譯〕），便可看出我國學界對於這個議題的興趣。

　　不可諱言，在前節有關「一會二刊五班」的建制性描述中，比
較文學的課程的確遭遇很大挑戰，大都已經轉型甚至結束，讓人不免
有盛極而衰之感。二刊似乎也出現遭到國科會相關規定「馴化」的現
象，然而至少《中外文學》試著藉由一些眾人關切的議題，來保持一
定程度的彈性，避免僵化為「只不過是另一份學刊」。最近慶祝四十
週年時也特地規劃專輯，發表系列論文與文章，兼具歷史價值、反思
意義與前瞻思維。與「二刊五班」相形之下，似乎只有「老本雄厚」
的比較文學學會，雖然在其他學會夾擊下依然「老神在在」，固定舉
辦相關活動，維持一定活力，繼續服務學術社群，延續著比較文學在
臺灣的命脈。因此，雖然現任理事長廖朝陽教授在他剛才的報告中提
到所謂比較文學的「幽靈化」以及「借屍還魂」的可能性，但筆者認
為就是因為在目前這種看似惡劣的情況下，組織、財務、活動都相當
健全的「一會」之角色更形重要。若允許我們挪用廖教授的比喻，那
麼比較文學在臺灣其實「不用借屍就可還魂」，因為它的軀體健在
（組織健全），元氣充沛（財務充裕），行動裕如（活動正常）。至
於如何進一步強化其實力，筆者以為就是要加強學會的多元化，讓現
在以英美文學為主的學會能多多吸收其他學門的會員，尤其是加強與

臺文系、所學者／學子的交流（一如一九七〇年代與中文系、所學者
／學子的交流與合作），再次形成全球在地化的特色，以及與其他學
門和姊妹藝術研究者的互動，達到跨學科、跨媒介的目標。此外，就
是維持並善用其危機感，時時自我反思、更新，利用國際學術思潮，
因勢利導，借力使力，將比較文學連結上當前的重要學科與議題，如
翻譯研究、世界文學、全球化、跨國主義、文化研究等，時時補充新
血，強化活力，使「其命維新」。

# 引用書目

朱立民。《朱立民先生訪問紀錄》。單德興、李有成、張力訪問：臺
　　北：中央研究院近代史研究所，1996 年。

胡耀恆。〈發刊辭〉。《中外文學》1.1（1972 年 6 月）：4-5。

單德興。〈比較文學在臺灣〉。《人文百年・化成天下：中華民國百
　　年人文傳承大展（文集）》。編：楊儒賓等。新竹：國立清
　　華大學，2011。109-13。

Bassnett, Susan. *Comparative Literature: A Critical Introduction*. Oxford:
　　Blackwell, 1993.

Spivak, Gayatri Chakravorty. *Death of a Discipline*. New York: Columbia
　　UP, 2003.

# 「後」殖民女性小說的比較研究

## 馮品佳

　　可以參加陳玨教授創辦的金萱會所舉行的學術研討會我覺得非常
榮幸。金萱會成立，不但可與哈佛大學紅粥會及京都大學的蟠桃會相
互輝映，也可以促使臺灣新漢學的發展，謝謝陳教授如此費心推動相
關的學術研究。我個人研究的專長是英美文學，博士班的副修是比較
文學，與文學的比較研究有些淵源，所以今天能在此參加盛會。我選
擇的題目——「『後』殖民女性小說的比較研究」——其實是跟我
這個學期所教授的課程有關，我在「後殖民女性小說」的這堂碩士班
課程裡除了選讀英美世界的文本之外，也特別加入臺灣的女性作家文
本，希望同學跟我可以利用這個機會好好切磋、檢視歐美與臺灣脈絡
之下發展出來的「後」殖民女性文學。

　　這個課程剛開始時有同學質疑為何特別要研究女性作品，我的
答案是除了是基於自己對於女性文學一貫的興趣之外，我也認為女
性在傳統父權社會時常處於邊緣地位，這個性別的邊緣處境是探討
殖民主義如何邊緣化被殖民者相當有利的位置。誠如《逆寫帝國》
（*The Empire Writes Back*）的作者們所言，「在許多社會裡，女性是
置在為她者的地位，遭到邊緣化，在隱喻的層次上是『被殖民的』」
（Ashcroft, Griffiths, and Tiffin 174）。至於在指定閱讀中加入臺灣文
學，是希望我們能夠好好省思臺灣極為複雜的殖民歷史經驗與「後」

殖民情境。這個複雜的歷史經驗是了解臺灣過去、現在、甚至未來的物質基礎，我們必須站在這樣的物質基礎上才能腳踏實地、而不是在虛幻的理論基礎上討論臺灣的「後」殖民論述。

至於臺灣與歐美「後」殖民女性小說的比較基礎，我認為可以從島嶼的觀念出發。我個人曾經從事過多年的加勒比海文學研究，我覺得加勒比海地區與臺灣的殖民歷史有許多類似之處，除了都是島國之外，也歷經多重的殖民經驗，而且目前有些區域仍然是殖民屬地，例如瓜地洛佩（Guadeloupe）及馬丁尼格（Martinique）至今仍為法國海外軍管區（Overseas Departments）。我個人認為臺灣與加勒比海各個島國在這個歷史背景與地理環境的基礎上是可以做比較研究的。除此之外，也可以從「後」殖民女性書寫中一些常見的主題切入，例如在「後」殖民的情境下對於母親或是母親之土（motherland）的反應也可以做一些比較研究。

英美世界比較熟悉的加勒比海文學大多來自西印度地區（the West Indies），也就是前英國的殖民地，其中最知名的就是金凱德（Jamaica Kincaid）。金凱德作品甚多，除了書寫加勒比海的女性成長與家族故事之外，也有評論家鄉安地瓜（Antigua）的批判文章，以及談論她在世界各國採集花卉種子的散文集。今天想要討論的是她的一部小說《露西》（*Lucy*）。小說的情節非常簡單，女主角露西離開島國家鄉到美國擔任媬母（au pair），但是簡單的情節背後有非常複雜的個人與國族情緒，也有各種政治性閱讀的可能。除了可從「後」殖民的角度探討露西如何從加勒比海的前殖民地前進至新殖民帝國，夾纏在新舊殖民主義之間，執意棄絕親緣，成為一個冷漠而極為不討喜的人物；此外，露西這個角色也經常被當做跨國勞工的文學代表，用來描述前殖民地的勞力是如何輸入新殖民帝國，而在跨國移徙之後處於社會下層，從而牽引出種族與階級性的批判。

　　有趣的是史碧華克（Gayatri C. Spivak）在〈純文學閱讀〉（"Reading with Stuart Hall in 'Pure' Literary Terms"）一文中，強調要以純文學觀點來談《露西》，目的在證明對於文學在修辭上的仔細推敲不但不會造成讀者對於政治脈絡的疏離，反而可以加強對於政治的敏感度（351）。史碧華克在文章中要求讀者不要從跨國勞工這種明顯的政治角度閱讀《露西》，而是從修辭學中的「並列」（parataxis）切入，經由細讀指出文本中在語言以及故事層次所展現的情感疏離。她的重點是閱讀技巧是需要學習的，經由細讀的過程我們可以發現這本小說「語言的獨特性」（the singularity of the language）（355）。史碧華克也從討論這個角色的跨國經驗帶出對於離散（diaspora）論述的批判，指出現行的離散論述忽略了在聖經的脈絡中有關離散的一個重要面向：摩西預言猶太民族會因為觸犯上帝律法受到懲戒，所以離散者必須為自己的處境負責，不應該僅將離散歸咎於殖民的歷史因素。金凱德的《露西》則抗拒這種逃避自身責任的論點（360-61）。史碧華克認為對於露西而言，「『離散』與『移徙』是使用並列的方法，〔與親族海島〕切斷關係是做為解決問題的方法，而非問題的根源」（361）。也就是說露西是因為自己內心糾結的問題棄家鄉而去。透過閱讀《露西》，史碧華克提出對於當代離散主義（diasporism）自以為是政治正確的批評，強調在金凱德的認知裡離散是帶有階級性的，而《露西》則是有關女主角「停滯的成長／過渡」（arrested passage）（366）。

　　當然史碧華克的論文還有許多複雜的論點，但是她刻意使用修辭學轉入政治性閱讀的方法，某種程度上似乎是在回應派瑞（Benita Parry）之前對於後現代批評家的「後」殖民理論之批評。廖炳惠指出，派瑞等人對於某些文學後殖民主義不安的原因，在於他們認為史碧華克等人對於許多不同的殖民經驗提出的是跨歷史的（transhistorical）理論（Liao 200）。也就是說派瑞認為史碧華克等人的批評方式缺乏歷史物質經驗，因而無法處理不同歷史經驗的殖民與「後」殖民情境，對於「後」殖民不但無益、反而有害。所以她將史碧華克等人的理論列入「後」殖民研究的「障礙」（impediments）（Parry 72），批評他們過度重視語言，輕看歷史物質主義（74），也疾呼要即刻轉回具有物質性、社會性、與存在意義的政治批判（77）。

　　史碧華克與派瑞的爭議，某種程度上也可以跟臺灣一九九〇年代以來「後」殖民論述的後殖民與後現代辯論做一比較，這些爭議在許多討論臺灣「後」殖民文學與論述的文獻中都曾提及，例如邱貴芬的《後殖民及其外》，這個部分因為時間的關係不做詳述，會另外撰文討論。

　　回到臺灣的島嶼經驗，我在「後殖民女性小說」的課堂上所選擇的三部臺灣小說文本——李昂的《看得見的鬼》（2004）、陳玉慧的《海神家族》（2004）、以及平路的《婆娑之島》（2012）——對於臺灣的「後」殖民歷史都有一些不同的陳述與看法。中文的書寫當然與英文的語法與修辭習慣不同，而以島國為中心的三部臺灣小說也與從美國回首觀看加勒比海的《露西》觀點有異，所以史碧華克以並列的修辭語法閱讀《露西》的方法或許不適用，而且讀者也不一定接受她的讀法，但是她所倡導的「美學教育」，強調學習細讀，並且從中梳理出各種文學、文化、社會與歷史等脈絡，強化讀者的政治意識，卻是閱讀任何小說的重要方法。

　　至於進行《露西》與這三部小說的比較研究，如果從美學角度，應該可以從書寫島國經驗的不同策略入手。例如比較《露西》的寫實手法與《看得見的鬼》的魔幻寫實；或者以《婆娑之島》從殖民者的觀點書寫臺灣，對照《露西》中被殖民者的情動狀態（affective state）。

　　舉例來說，同樣是以跨國經驗為基調的《海神家族》最適合與《露西》做一比較。《露西》說的是離鄉的故事，而《海神家族》講的是回鄉的經歷，往與返的方向迥異，兩位第一人稱敘事者對於家鄉的態度也不相同。露西拒絕閱讀母親的信件，父親去世拒絕奔喪，立意與加勒比海的家鄉一刀兩斷。《海神家族》的女主角則企圖在返鄉的過程中重新整理家族關係，療癒家庭破碎的創傷，並且確定自己臺灣人的身分認同。所以陳玉慧在與丈夫明夏的訪談中，提到書寫這部小說對於她的個人具有自傳性書寫的意義：「個人與家的故事平行發展，是我的逆向旅途，或者可說是我的回溯之旅。我年輕時急於離開家和臺灣，我在小說中檢視過去的斷絕，且意識到自己與臺灣勢必無法分割。我現在做的便是回到自己出發的地方」（327）。從種種外在條件看來，《露西》與《海神家族》似乎難以比較，但是我認為這兩部自傳性的小說處理的都是「後」殖民小說中有關「母親之土」的主題，可以從這個角度做一比較。

　　兩部小說看似反應截然不同：露西抗拒的是母親以及代表母親的加勒比海島國故鄉，因為「我的過去就是我的母親」（90）；《海神家族》的女主角則是認同代表臺灣的母系傳承，以及急切地希望擺脫「外省人」的標籤，從而可以大聲說出她在訪談中的自我認定——「我常在懷疑，但我無需懷疑，像我這樣的人便是臺灣人」（327）。反諷的是兩位女主角的心意看似相反，但是最後殊途同歸，都認知到自己與母親的相同，以及與母系傳承的緊密連結。就像儘管露西對「小地方」深惡痛絕，想要冷面以對，一心要斬斷過去，卻發現自己跟母親根本就是一體：「哦！真是可笑，因為我花了一堆時間說我不要像我媽媽，結果根本把整個事情都搞混了：我不像我媽媽——我就是我媽媽」（90）。島國／母親都是主角人生的一部分，就算是有心斷絕關係也難以完全達到目的。

　　「後」殖民小說中有關「母親之土」主題的種種鋪陳當然不像我在此處所做的比較這麼單純，一定需要做更細緻的爬梳，今天只是簡單例舉由主題研究出發的比較例證，提出一兩個論點，期能拋磚引玉，牽引出更多比較文學的優秀論文。

# 引用書目

平　路。《婆娑之島》。臺北：商周，2012。

李　昂。《看得見的鬼》。臺北：聯合文學，2004。

明　夏（Michael Cornelius）。〈丈夫以前是妻子：評論家丈夫明夏
　　　專訪小說家妻子陳玉慧〉。譯：陳玉慧。《海神家族》。臺
　　　北：印刻，2004。321-35。

邱貴芬。《後殖民及其外》。臺北：麥田，2003。

陳玉慧。《海神家族》。臺北：印刻，2004。

Ashcroft, Bill, Gareth Griffiths, and Helen Tiffin. *The Empire Writes Back:*
　　　*Theory and Practice in Post-Colonial Literatures.* London:
　　　Routledge, 1989.

Kincaid, Jamaica. *Lucy.* New York: Farrar, Straus, Giroux, 1990.

Liao, Ping-hui. "Postcolonial Studies in Taiwan: Issues in Critical Debates."
　　　*Postcolonial Studies* 2.2 (1999): 199-211.

Parry, Benita. "Directions and Dead Ends in Postcolonial Studies."
　　　*Relocating Postcolonialism.* Ed. David Theo Goldberg and Ato
　　　Quayson. London: Blackwell, 2002. 66-81.

Spivak, Gayatri Chakravorty. "Reading with Stuart Hall in 'Pure' Literary
　　　Terms." *An Aesthetic Education in the Era of Globalization.*
　　　Cambridge: Harvard UP, 2012. 351-71.

中文世界
「漢學與物質文化」研究

# 物質文化研究在政治大學

## 高桂惠

　　近年，臺灣的漢學研究，產生與物質文化研究（Material Culture Studies）相結合的潮流，筆者參加的臺灣五所主流大學組成的「文學藝術與物質文化研究」（Material Culture Studies in Literature and Arts）整合型計畫便是這一潮流的一個例證。該整合型研究計畫，由清華大學發起，臺大、政大、師大和中央大學參與。就筆者所任教的政治大學物質文化研究，即在許多方面持續努力發展，積累、深化此一課題的學術能量，這些研究有些是相對成型的論述，部分則是尚在開展中的議題，本文試就這些研究現況作一鳥瞰式的勾勒，來回應此一課題的當代思考。

## 一　從體物入微的感知審美到文化體系的多重參照

　　首先，在中文學門本科的研究創新中，政治大學中文系以漢學視野為新取徑，積極採用物質文化研究的新方法。筆者於近年的研究中不斷嘗試對文本的解讀聚焦於「物」的認識論，透過明清小說的物質書寫，考察其感知與認知雙向涵攝的辯證思考，以及人類與物的互動中之種種想像，以文學手法使「物」成為審美的對象，並進而反思主體如何界定物質，而物質又如何透過「物質性」及其運用方式反身影

響主體，甚至改變主體。筆者以故事細讀的方式將不同故事加以參照，企圖闡釋在「民胞物與」的文化慣性思維之外，探討文學如何從「物自身」出發，並反思人類民俗采風、博物傳統習以為常的物我關係。

此外，由於明清時期「賞物」的文人化視野切入「物觀」的物質書寫，筆者由明清物質文化特有的「文化再生產」與「社會再生產」，以及文人擅長製造「奇貨」、「奇癖」論述，拈出「物觀視角」的重讀，探究小說「采風」、「博物」、「賞物」的「物觀光譜」，並旁及「禮物論述」的跨時空對話，探討禮物精神的感性形式與禮物美學的精神載體的意義。筆者的明清小說的物質文化研究，亦透過與普林斯頓大學浦安迪（Andrew Plaks）教授的論壇交流，回饋到漢學界。

中文系的物質文化研究除了文本闡釋與感知／感性的掘發，對於文獻與圖書的文化史、禮俗研究，不僅可以測繪文化象徵、結構的參照體系，更進一步深化傳統漢學的研究進路。如中文系楊明璋教授關注敦煌文獻與日用類書對於婚嫁儀式的文學書寫，從敘事角度論析「物」在變文中的美學作用，其考掘的敦煌文獻之特殊精神內涵，與以往西方漢學視域下的敦煌學研究已有不同，透過宗教、儀式、禮俗之面向，整合了「物」在文化中的象徵與隱喻，使敦煌文獻與日用類書的物質研究呈現新的研究風貌。又如林桂如教授關注晚明書籍出版文化，試圖探究晚明出版市場書籍流通現象，林教授的文獻考掘有日本漢學界的學風，對於晚明書業與獄訟出版文化的研究，展現細膩的學思與辯證。

中國早期敘事文本中的物質文化研究，以考證或索隱的方法探究當時經濟面向為主，比較沒有探究其語境、資本交換與文化體系中的關係。上述政治大學中文學門的物質文化研究，在文本語境、抒情美典、讀物的商品經濟脈絡、文化系統的象徵、物質的精神載體之意義

等方面，企圖更深度描繪文化體系的輪廓。

## 二　結合文史多元材料之新文化史研究

　　與國際漢學同步，採文、史結合的研究取向，其一大特點是運用材料的多元化，如：歷史系的劉祥光教授研究宋史與近世社會文化、教育史的關係，運用了宋代《夷堅志》、時文稿、宋代卜算書籍等多種文史材料，勾勒宋代常民心理的風水文化與士子的科舉文化；陳秀芬教授從文化史角度探究中國醫籍與常民醫療文化之間的聯繫，並且擴展至女性身體的情欲論述、瘋癲與疾病在身體的症候研究，對於民間保健手冊的刊刻、發行如何形塑常民的養生、修身觀念亦多所關注；金仕起教授則研究中國古代醫療史，包括方術、醫案書寫等面向，嘗試以「疾病」的個案研究方式，追索古代中國在醫療觀念上的發展面貌。

　　由於運用材料之多元化，使得研究面向大大開展，從科舉文化、風水文化、常民醫療文化、疾病醫療以及養身保健文化，更帶動結合多種文化的社會建構思考。進一步來看，物質文化研究有時整合了多種文化風貌於其中，如：呂紹理教授關注臺灣日常生活與現代社會形塑的關聯性，包括理髮行業的形成、休閒娛樂生活的影響、探究了身體與社會關係的連結。呂教授從殖民文化的視角，探究近代臺灣的化學工業與日常生活的變遷，並觀察「髮文化」如何從「賤業」成為「時尚」。這些研究，可以說是從庶民的日常生活，到休閒娛樂文化、身體技術、工業化、現代化、殖民文化等面向的錯綜複雜的連結。

　　相較於上述物質文化建構論與脈絡論的邏輯，歷史系朱靜華教授的研究，比較了美國博物館與兩岸故宮博物院的展示，關注「畫作展示」與「文化再現」的問題。朱教授對兩岸故宮博物院藝術展覽的

典律形成之「文化再現」的研究，或可促使我們反思文化差異、「物性」的討論方式、傳統對「物」認知理論的分類範疇以及「藝術品」價值化的議題。

## 三　全球化、流動性的跨界、跨時空之物質文化研究

　　方興未艾的「全球化」，不論是在資本、人才、商品、科技，或是語言、文化、知識、藝術、飲食，甚至移民、留學、婚姻都處於流動狀態。流動將物質與非物質以各種不同的形貌，經由各種方式，進行多方向的運動。為因應這個當代現象，政治大學外語學院近年對於物質文化的研究，整合了不同專業領域及語言的差異，深入探討諸如旅行、無國界藝術、異／跨國飲食文化、後殖民／僑民文學、移民與跨族群婚姻、各國節慶的跨文化性、文化翻譯等問題。[1]以上種種國際學術潮流，滲入漢學，又超脫漢學，我們也加入這一潮流。

　　從巴塔耶（George Bataille, 1897-1962）開始，物質文化研究從古老社會遺跡和他者的文明轉向了當代生活，從借助於他者的研究，轉變為直接對自己所在社會物質現實的研究。當這種研究視角進入我們跨文化的物質研究，現代人如何構築一個以養護與裝飾之「物」環就而成的生活美學體系，遂開展了當代城市生活、商品消費、女性保養等面向的探索。如：歐洲語文學系古孟玄教授以中西文女性保養品說明書之文本類型與特性為探討焦點；英國語文學系陳音頤教授以倫敦城市小說為例，關注小說書寫中的百貨公司、女性展示、消費景觀等議題；英語系胡錦媛教授談論臺灣當代作家焦桐《完全壯陽食譜》的食色經濟學，這些研究取徑，在消費與養護、裝飾等生活美學體系

---

1　在此特別感謝政治大學外語學院跨文化研究中心主任徐翔生教授提供該中心二〇一二年「第四屆翻譯與跨文化」國際學術研討會的計畫書作為本文參考。

中，凸顯了當代物質文化研究的閒適／俗世生活與人生的價值追求。

　　此外，在全球化下的「自我」與「他者」的比較反思中，翻譯的可能性與禮物文化也是跨文化研究最突出的焦點，外語學院以「禮物文化」設題舉行多次學術研討會，關注文化翻譯、社會文化諸多面向。如：外語學院院長于乃明教授討論日本政界的送禮文化；張君松教授發表泰國送禮文化與禁忌；翻譯中心主任張上冠教授發表《投桃報李：翻譯作為（不）可能的禮物》；英語系伍軒宏教授探討《當德希達「翻譯」「禮物」》；歐洲語文學系阮若缺教授由法國飲食文化與餐飲禮儀的討論，探究飲食品味與社會階層的問題。「禮物」從物質性概念大大擴充了討論範疇，「禮物文化」不論是就社會交際、政治外交、文化殖民等層面而言，都具有非常豐富的討論層次。

## 四　餘緒

　　本文主要以政治大學中文學門、歷史學門以及外語學院的跨文化中心的物質文化研究，開展一場可能的對話，深入推動漢學與物質文化研究的融合。相對於傳統知識學門的穩定性（或是封閉性），投入物質文化研究的學者隱然被召喚進入一場難以化約的學術迷宮，不論是否成功形塑論述，在雜遝紛陳的光影中開掘知識原礦，就是一場饒有意味的工作。筆者揣度政治大學物質文化研究者的微言大義，有時妄下腳注，若有誤導或不足之處，期待後繼者持續切割、打磨這些礦石，使這些知識的光采，超越可見的物質原貌。

# 拓展「漢學與物質文化」研究的新視野

## 介紹科技部近年在該領域的四個大型計畫

### 陳玨

　　從上世紀末開始，西方的「漢學界」出現關注「物質文化」研究（material culture studies）的趨勢。近二十多年來，它漸成一股學術潮流，漫卷歐美的人文社會學界，也波及中文世界。在中文世界中，臺灣著其先鞭，引領風尚，從二〇〇八年到二〇一四年間，科技部人文司[1]接力核定了「漢學與物質文化」研究領域四個大型研究計畫，包括：（1）為期一年半的「超越文本：物質文化研究新視野國際論壇暨研習營」學門規劃推動計畫（2008-2009）；（2）為期兩年的「文學藝術與物質文化」整合型研究計畫（2010-2012）；（3）為期兩年的「文學藝術與物質文化擴展」整合型研究計畫（2012-2014）；（4）為期三年的「國際漢學與物質文化研究聯盟」（Consortium for Sinology and Material Culture Studies）拋光計畫（本計畫由人文司、科國司共同核定）。

　　這些計畫具有「大型性」、「創新性」和「連續性」，構築一個縱貫七年的時間板塊，自執行以來，在海內外引起相當大的迴響與好評，也吸引北美、歐洲和東亞各國許多知名學者的共同參與，其中

---

[1] 本文所稱「科技部」為「前國科會」、「科技部人文司」為「前國科會人文處」、「科國司」為「前國科會國合處」，特此註明。

「文學藝術與物質文化」整合型研究計畫已為二○一一年《中華民國科學技術年鑑》列入科技部人文司「臺灣及中國文學」學門該年重點介紹的三大計畫之一。目前，這一系列計畫的執行時近尾聲，已在中文世界形成一個國際間認可的特殊研究領域與社群的雛形，我們稱之為「漢學與物質文化」研究領域。

筆者有幸主持以上各項計畫，多年來得到國內外不少學術同仁的幫助和指教，獲益良多，在此藉《人文與社會科學簡訊》寶貴篇幅，與讀者分享計畫的執行心得，以拋磚引玉。下文依次序分門別類，介紹這四個「一以貫之」的大型計畫的來龍去脈。先從這一系列大型研究計畫的起點——亦即科技部學門規劃推動計畫「超越文本：物質文化研究新視野」國際論壇暨研習營——談起。

## 一　科技部學門規劃推動計畫「超越文本：物質文化研究新視野」國際論壇暨研習營

要找到在「漢學」脈絡中推展「物質文化」研究新視野的「始作俑者」，需從牛津大學中國藝術史講座教授柯律格（Craig Clunas）為起點。筆者曾多次撰文談到：雖然在西方的物質文化研究，從十九世紀中葉便開始萌芽，到二次戰後已經走向成熟，然而直到上世紀末，才有學者成套運用物質文化研究的方法，來研究中國古代的物質文化。其中的轉折性事件，便是柯律格在一九九一年出版了一部轟動當時漢學界的書，名叫《「長物志」——早期近代中國的物質文化與社會身分》（*Superfluous Things : Material Culture and Social Status in Early Modern China*）。該書的出版，使漢學界不少同行看到了採用「物質文化」研究的角度，來探討中國文化史的獨特作用。這種認知，使物質文化研究在漢學領域中，荒徑漸開。

　　明代《長物志》的作者文震亨（1585-1645）是蘇州「文人圈」
中的「聞人」之一，柯律格《「長物志」——早期近代中國的物質文
化與社會身分》一書，從《長物志》中涉及當時「吳門」文人日常生
活中習見的「風雅」物品，諸如室廬、花木、水石、禽魚、蔬果、書
畫、几榻、器具、衣飾、舟車、香茗之類入手，展開「社會身分」的
討論，其中精確採用了物質文化研究的方法，為當時漢學界所罕見。
柯律格從物質文化角度，重新發掘《長物志》這本「舊書」在今日社
會文化史研究中的價值的舉動，引起英美漢學界同行熱烈的討論，並
受到美國明代研究宗師級人物牟復禮（Fritz Mote）等著名學者的重
視（筆者在近八年前，曾在香港撰文詳述此事，以上為濃縮介紹）。

　　柯律格《長物志》的研究受到重視，使其開始了一帆風順的學術
生涯，先從倫敦維多利亞‧阿伯特博物院（Victoria and Albert
Museum）中國分館館長一職轉入大學任教，後來被倫敦大學亞非學
院禮聘為講座教授，到了二〇〇八年，再一次為牛津大學「挖角」，
成為該校中國藝術史講座教授。繼柯律格之後，美國漢學界不少有識
之士在新世紀來臨之際，紛紛介入這個領域，例如美國頂尖大學中，
東岸有普林斯頓大學教授韓書瑞（Susan Naquin）和哥倫比亞大學教
授高彥頤，西岸有加州柏克萊大學教授戴梅可（Michael Nylan）等，
都開設物質文化研究所課程；其中韓書瑞開設的物質文化研究生課
程，「課程大綱」竟然長達四十頁，內容豐富，琳瑯滿目。由此一
「斑」，也可略窺近二十年來，漢學與物質文化研究在歐美蓬勃展
開，至今未衰之「全豹」。

　　西方漢學界的這股物質文化研究潮流，在上世紀九十年代，從臺
灣漸漸進入中文世界，首先引起中央研究院內學者的興趣，新世紀初
的《新史學》出版過《物質文化研究專輯》（由中央研究院歷史語言
研究所邱澎生等籌劃），即為明證。筆者在近八年前，受到新世紀漢

學潮流轉向中文世界回湧的感動，經余英時先生推薦，到新竹清華任教時，正值西方漢學界和臺灣學術界在物質文化研究領域的「邂逅相逢」之際。筆者二十多年前在美國普林斯頓大學兼習文史，歷史方面受教於余英時先生與杜希德先生（Denis Twitchett），開始注意到漢學與物質文化研究的匯流，畢業後在美國明尼蘇達大學和紐西蘭坎特伯雷大學任教十年，與國際漢學與物質文化研究界有直接的交遊。以上學思經歷，使筆者初到清華時，有感於迄今為止的西方漢學界的物質文化研究，總體侷限在歷史學門或藝術史學門中，而文學學門卻長時期「缺席」參與，頓時萌生了希望嘗試立足中文世界，用打破文史分家的「跨界」視野，從文學學門介入這一領域的想法。這個想法得到時任國科會人文處處長廖炳惠的支持，於是筆者便在二〇〇八年向科技部提出大型學門規劃推動計畫，以國立清華大學人文社會研究中心（筆者時任中心副主任）連袂國家圖書館漢學研究中心，舉辦「超越文本：物質文化研究新視野」國際論壇暨研習營（2008-2009），邀請時任牛津大學邵逸夫漢學講座教授卜正民（Timothy Brook）和倫敦大學歷史講座教授馮客（Frank Dikötter）、普林斯頓大學歷史講座教授艾爾曼（Benjamin Elman）和文學榮譽教授浦安迪（Andrew Plaks）、加州柏克萊大學藝術史教授高居翰（James Cahill）和歷史教授戴梅可、布朗大學比較文學教授李德瑞（Dore Levy）、西雅圖華盛頓大學歷史教授伊沛霞（Patricia Ebrey）等一系列國際知名漢學界「重鎮」來臺交流，旨在打通歷史與文學、漢學與物質文化研究方面的通路，詳細可見筆者在二〇〇九年發表的〈物質文化研究的新視野──國科會「超越文本」規劃推動計畫前半部執行回顧〉（載《人文與社會科學簡訊》十卷三期）和二〇一〇年發表的〈「超越文本：物質文化研究的新視野國際論壇暨研習營」研究計畫介紹〉（載《漢學研究通訊》二十九卷二期）兩文。這些會議活動的部分論文，後來則由

圖一　參與「超越文本」計畫的普林斯頓大學教授浦安迪是漢學界在明清小說研究領域的權威之一

圖二　參與「超越文本」計畫的加州柏克萊大學教授高居翰是漢學界在藝術史研究領域的權威之一

筆者編成《超越文本：物質文化研究新視野》，在二〇一一年先以《清華學報》專輯形式問世，其後由國立清華大學出版社出版專書。

筆者在主持科技部「超越文本」學門規劃推動計畫時，有幸同時執行國立清華大學「高羅佩與物質文化研究」增能計畫（2009-2010），兩者相得益彰。筆者曾在報刊上撰文介紹：荷蘭高羅佩（Robert van Gulik,1910-1967）被譽為二十世紀對中國影響最大的六十名外國人之一。高羅佩的「三考」——討論北宋書法家米芾《硯史》的《米海岳硯史考》，研究明代春宮圖的《祕戲圖考》，探索中國動物文化史《長臂猿考》——每一「考」都具有權威的分量，無一不是當年漢學界尚未關注「物質文化」時代的「物質文化」研究。高羅佩的這一系列漢學著作，也可說是一座通過研究物質文化來「收藏中國」的「紙上博物館」，他本人更是早在柯律格之前，漢學界研究物質文化「史前史」中的「祖師爺」之一。柯律格對高羅佩十分推崇，這從柯律格上述名著 Superfluous Things: Material Culture and Social Status in Early Modern China（《「長物志」——早期近代中國的物質文化與社會身分》）標題中，將文震亨《長物志》英譯成「Superfluous Things」一事便可知端倪：此英譯非柯律格自創，而是特意從高羅佩著作《書畫鑑賞彙編》（Chinese Pictorial Art）中一個小註解裡取來，而「放大」成書題。筆者二〇一〇年在臺北主辦紀念高羅佩誕辰百年的「收藏中國：高羅佩的遺產」國際論壇時，邀請柯律格到臺灣演講，雙方見面談起這一點，都不禁莞爾微笑。

總而言之，如果說科技部「超越文本」學門規劃推動計畫是一種「面」上的推動，那麼國立清華大學「高羅佩與物質文化研究」增能計畫，則可說是一個「點」的研究。因緣湊巧中「點」與「面」的結合，構成了筆者在本世紀第一個十年的尾聲中，介入「漢學與物質文化」研究的起點，也為後來執行科技部整合型計畫和「拋光計畫」作好了準備。

圖三　牛津大學講座教授柯律格（左四）應邀來臺演講時與講評人中央研究院院
士石守謙（左三）等合影

## 二　科技部整合型計畫「文學藝術與物質文化」及「文學藝術與物質文化擴展」

　　承繼「超越文本」先導計畫的開拓，新階段的「文學藝術與物質文化」及「文學藝術與物質文化擴展」兩個整合型研究計畫從二〇一〇年始，次第展開。如果說「超越文本」學門規劃推動計畫，作為科技部四個大型研究計畫的開端，是以文史兼顧登場，那麼這些大型計畫的主體──「文學藝術與物質文化」及「文學藝術與物質文化擴展」兩個接力整合型研究計畫──則立足文學學門，由國立清華大學發起，前後包括國立臺灣大學、國立政治大學、國立臺灣師範大學、國立中央大學的六位資深和兩位年輕教授，先後加盟，接力「競跑」。這兩大系列性整合型研究計畫，透過融會文學與其他學門的

「跨界」視野，以國際對等交流為導向，甚獲成功。

筆者作為整合型研究計畫總主持人，在與各校同仁合作，集思廣益後，在計畫書中作出如下規劃：第一階段「文學藝術與物質文化」整合型研究計畫，以戲劇、敘事文、詩歌三大文類為經，以晚清至民國的歷史時代為緯，觀察特殊文類在特殊時代物質文化中呈現的風貌，其子計畫包括：

1. 國立臺灣大學王安祈教授：物質文化對非物質文化的影響——視聽媒介對京劇典範建立所起的作用及限制；
2. 國立政治大學高桂惠教授：怪怪奇奇之物——《聊齋誌異》、《閱微草堂筆記》及其續衍之「游目」與「騁懷」；
3. 國立臺灣師範大學陳室如助理教授：異國形象的物質符碼——晚清海外遊記中的飲食、服飾與城市文化；
4. 國立中央大學李元皓助理教授：物質文化對非物質文化的影響——視聽媒介和京劇傳播的關係；
5. 國立清華大學陳玨教授：晚清華人海外遊記與西人海內遊記中的崇外與懼外文化心理研究——以物質文化的跨界為例。

第二階段「文學藝術與物質文化擴展」，將第一階段「文學藝術與物質文化」整合型研究計畫的「跨界」範圍拓展，研究團隊全由資深教授組成，其子計畫包括：

1. 國立臺灣大學洪淑苓教授：民俗節日的節物、象徵與詩歌表現——以明清到日治時期（1661-1945）的臺灣文獻為探討範圍；
2. 國立政治大學高桂惠教授：明清小說中的「禮物」研究——以「神魔小說」與「人情小說」為主；
3. 國立清華大學陳玨教授：西學東漸中上海的物質文化——以漢學史為角度。

以上兩個整合型研究計畫的宗旨，是透過多年期科技部計畫的持

續推動，形成一個立足臺灣、面向國際的「漢學與物質文化」研究領域的國際化「交流圈」。

這前後銜接的兩大整合型計畫中的八個子計畫，角度各異，涉及「文學藝術與物質文化」的方方面面，構成設計中的臺灣「漢學與物質文化」研究領域國際化「交流圈」的基礎，然而這還不是它的主軸。此主軸是由系列整合型計畫中的「總計畫」來擔任，它的運轉，可以從二〇一〇年底展開的「漢學視野中的文學藝術與物質文化」臺北學術系列沙龍，到二〇一二年初創辦臺北「金萱會」的過程中，看出軌跡。具體來說，前者是後者的準備，而後者則是筆者在科技部兩大整合型計畫中所致力推動的重要成果。

筆者曾這樣撰文介紹臺北「金萱會」：它的靈感，來自上世紀末在漢學界名聞遐邇的兩大學術沙龍，即美國康橋（Cambridge）「紅粥會」與日本京都「蟠桃會」。康橋是哈佛和麻省理工學院所在地，而「紅粥會」的主人，則是哈佛大學東亞系與音樂系合聘教授趙如蘭。趙如蘭的父親是當年「清華四導師」之一的趙元任先生，父女兩人都是中央研究院院士。趙如蘭曾在家中客廳邀請南來北往的漢學界名流，講演學術新發現，座下聽眾不乏名重一時的哈佛教授和前途無量的年輕研究生，席間賓主品嚐一碗女主人熬的紅粥，名曰「紅粥會」。而「蟠桃會」則以京都大學人文科學研究所教授小南一郎為主持人，他是京都學派第三代傳人之一，受過吉川幸次郎的親授。與「紅粥會」不同，在「蟠桃會」並無蟠桃可嚐，只因小南一郎當年以研究《神仙傳》成名，所以將這一「雅聚」命名為「蟠桃會」。其主場在京都大學校內的「樂友會館」舉辦，成為日本關西漢學界一道亮眼的「風景線」。筆者當年在海外，與趙如蘭和小南一郎兩位前輩皆有過交往。筆者認為，「紅粥會」和「蟠桃會」看似古代文人間的「雅聚」，其實何嘗不是現代意義上的小型學術「研討會」。於是，

在執行科技部整合型研究計畫「總計畫」時，便產生創辦臺北「金萱會」的念頭——以一杯臺灣「金萱茶」饗客，邀請國際一流學者來臺，分享其在漢學與物質文化研究領域的新成果，與中文世界的學術界展開對等交流。這個想法，同時得到國立清華大學校方支持，並與筆者主持的清華各項大型漢學研究計畫通力合作，漸次推動。

為作籌備，筆者從二〇一〇年底起到二〇一一年底兩年時間內，以科技部「文學藝術與物質文化」整合型研究計畫等為主軸，連袂國家圖書館漢學研究中心，先試辦了「漢學視野中的文學藝術與物質文化」臺北學術系列沙龍。這個系列沙龍可視為「金萱會」前身。筆者以「沙龍」即小型高端的「研討會」為理念，每場研討會分別設計主題，以「清詩與唐詩中的物質文化」、「從《金瓶梅》到《聊齋誌異》」、「高羅佩《書畫鑑賞彙編》」、「戲曲與物質文化」、「晚清海外遊記與物質文化」、「從古鈔本看物質文化」等為核心，選擇臺灣學界感興趣的題材，邀請國際學者前來共襄盛舉，並「以臺灣為主」，由科技部「文學藝術與物質文化」整合型研究計畫各子計畫主持人——王安祈教授、高桂惠教授、陳室如助理教授、李元皓助理教授等，擔任主講人或主持人的重要角色。

除上列科技部「文學藝術與物質文化」整合型研究計畫團隊成員外，這六次系列沙龍的主講人和講評人，還有劍橋大學講座教授麥大維（David McMullen）、普林斯頓大學教授浦安迪、不列顛哥倫比亞大學教授施吉瑞（Jerry Schmidt）、國立臺灣大學教授陳葆真、加州柏克萊大學副教授袁書菲（Sophie Volpp）、京都大學準教授道坂昭廣和古勝隆一、中央研究院副研究員巫仁恕、羅馬大學研究員費琳（Federica Casalin）等。這六次系列沙龍非唯講者「群賢畢至」，聽眾中的知名人士亦「長少咸集」，不乏臺灣老作家張曉風和哈佛年輕教授李惠儀等的參與。

以上採用「沙龍」作為外形的漢學與物質文化研究領域高端國際

圖四　劍橋大學講座教授麥大維是漢學界在唐代研究領域的權威人士之一，門下
　　　歷年指導過的博士生中成名人物不少（包括武俠小說家金庸在內），也來
　　　參與「漢學視野中的文學藝術與物質文化」臺北沙龍

圖五　金萱會開幕合影

小型研討會,深獲學界的歡迎。
於是,在「文學藝術與物質文化
擴展」整合型研究計畫付諸實
施時,我們決定在國立清華大
學一百零一年校慶當日(二〇
一二年四月二十九日)創辦臺北
「金萱會」。清華大學陳力俊校
長因在新竹主持校慶不能親臨臺
北「金萱會」,特用錄影方式為
「金萱會」開幕致辭,中央研究
院王汎森副院長亦作嘉賓致辭。
仿「紅粥會」與「蟠桃會」各有
主場的形式,臺北「金萱會」的
主場設在福華文教會館十四樓貴
賓廳,並有配合的各種「會外
會」,迄今已舉辦五場,場場高
朋滿座。

　　臺北「金萱會」的主軸之
一是「漢學」視野中的「物質文
化」研究。舉例而言,在二〇
一二年十月臺北「金萱會」上,
討論的主題是與「物質文化」研
究密切相關的「史文、磚與墓
誌」,在三位來賓中,德國慕尼
黑大學前副校長葉翰(Hans van
Ess)教授,主講《史記》和《漢

圖六　國立清華大學陳力俊校長於二
　　　〇一二年金萱會開幕視訊致詞

圖七　中央研究院王汎森副院長於
　　　二〇一二年金萱會致詞

圖八　科技部人文司鄧育仁司長於二〇一三年金萱會致詞

圖九　慕尼黑大學前副校長葉翰於二〇一二年金萱會演講

書》文本中的新發現；英國倫敦大
學亞非學院分院長倪克魯（Lukas
Nickel）教授，主講「磚」作為物
質文化；日本京都大學道坂昭廣教
授，主講「盧照己墓誌」（盧照己
為「唐初四傑」之一盧照鄰的弟
弟）。在漢學史上，向有所謂「慕
尼黑學派」和「京都學派」之說。
本次「金萱會」的「會外會」，請
葉翰介紹「慕尼黑學派」，道坂昭
廣介紹「京都學派」，使臺灣學術
界聽眾在短短的半天中，能夠「片
言明百意，坐馳役萬景」，聽到的
不僅是兩個學派的具體介紹，而且
可進一步用「滴水觀日」和「以斑
窺豹」之法，對上述種種不同的漢
學研究風格產生直觀的感受。眾所
周知，美國漢學的發展取徑與歐洲
和日本不同，在二〇一二年十二月
和二〇一三年六月的兩場「金萱
會」上，我們分別邀請了加州柏克
萊大學戴梅可教授和普林斯頓大學
柯馬丁（Martin Kern）講座教授演
講，展現美國西岸和東岸的特色學
風。

圖十　加州柏克萊大學教授戴梅可
於二〇一二年金萱會會外
會演講

圖十一　普林斯頓大學講座教授柯
馬丁於二〇一三年金萱會
演講

　　臺北「金萱會」內容豐富，是場場相接的「群英會」。筆者所編《漢學與物質文化：國立清華大學百年校慶的芹獻》（臺北：聯經，2011）和《漢學與物質文化二集：從臺北「金萱會」到「新漢學」論壇》（臺北：聯經，2011），對此有全面的學術史背景描述。本節限於篇幅，只能在文中從以上二書的相關部分中稍加摘引，有興趣的讀者可進一步參閱這兩本書。此外，筆者學術部落格「橋畔垂楊下碧溪：漢學典範轉移與物質文化新視野」內，有筆者主持的各類研究計畫活動報導，並定期更新資訊，網址為 http://blog.sina.com.tw/juechen，讀者亦可上網參閱。

## 三　科技部拋光計畫「國際漢學與物質文化研究聯盟」

　　臺北「金萱會」的重點是「請進來」，或者說將海外的新研究匯入中文世界，它的籌備和創辦只是上述科技部「漢學與物質文化」領域系列大型研究計畫的一部分，而非全部。這些大型研究計畫的另一面相，以科技部「國際漢學與物質文化研究聯盟」拋光計畫為高潮，重點在「走出去」，希望有助於將中文世界的「漢學與物質文化」研究成果推向國際學界。

　　如前所述，筆者擔任科技部「國際漢學與物質文化研究聯盟」拋光計畫主持人後，在二〇一二年五月舉辦的「新漢學」京都論壇上，推動成立「國際漢學與物質文化研究聯盟」。該聯盟由國立清華大學、京都大學和加州柏克萊大學三所太平洋兩岸頂尖學府的相關同仁發起，是國際間首創的漢學界與物質文化研究界共組的學術聯盟，筆者於聯盟中擔任總幹事，本聯盟的計畫書中規劃：未來五年內，在歐、亞、美、澳各洲中，再選出多個本領域研究最具成果的國家，每國接納一所頂尖的學府入「盟」。聯盟旨在以分布在各大洲不同國家的多

所頂尖學府為主體,以「整合型」方式推動漢學與物質文化的跨學科與全球化發展,並以成為國際間本領域引領風潮的學術組織為己任。

在二〇一二年五月「新漢學」京都論壇期間成立國際「漢學與物質文化」研究聯盟的前一天,科技部「文學藝術與物質文化」整合型研究計畫團隊全體五位教授,外加三位碩博士研究生(其中一位曾榮膺「臺灣十大傑出女青年」的稱號),到京都參加「新漢學」論壇的「會外會」,即「漢學與物質文化」國際學術研討會。該「會外會」定位為北臺灣地區(以國立臺灣大學、國立政治大學、國立臺灣師範大學、國立中央大學、國立清華大學為代表),與日本關西地區(包括京都大學、關西學院大學、同志社大學、立命館大學、奈良女子大學等)名校之間,在漢學與物質文化領域的對等交流,對促進日本漢學界與中文世界的合作有顯著效果,同時也為國際「漢學與物質文化」研究聯盟在「新漢學」京都論壇上的成立平添色彩。以上種種,筆者在《漢學與物質文化二集》中有詳細介紹(本節限於篇幅,僅作部分摘錄),讀者可參考。

圖十二　國際「漢學與物質文化」研究聯盟在京都大學成立後合影

　　綜上所述，筆者從主持「超越文本」學門規劃推動計畫開始，中間經過兩大連續性整合型研究計畫，到「國際漢學與物質文化研究聯盟」拋光計畫，多年來始終有幸在科技部大型計畫的框架內，推動「漢學與物質文化」研究領域在中文世界的發展。這些年之所以能取得若干微薄的成績，首先要感謝科技部的補助計畫支持，同時國立清華大學校方也給予本校多項相關計畫協助和指導，而筆者在這些年主持的各種大型研究計畫中的一大個人收穫，則是逐漸孕育「漢學典範大轉移」的理論框架，試圖從新的角度解讀漢學史（也包括漢學與物質文化）的過去和未來發展。

　　筆者在二〇〇九年發表的〈杜希德與二十世紀歐美漢學的「典範大轉移」——《劍橋中華文史叢刊》中文版的緣起說明〉（《古今論衡》二十卷）一文中談到：漢學是一門歷史悠久的學問，在幾個世紀的發展中，經歷了兩次「典範大轉移」（paradigm shift）：第一次從十九世紀上半葉開始，到二十世紀上半葉第一次世界大戰前後，完成了從「傳教士漢學」到「學院派漢學」的「典範大轉移」，地點發生在歐洲內部。第二次出現在二十世紀中葉第二次大戰前後，這是一場從以歐洲為代表的「東方學」（Oriental Studies）之漢學「典範」，到以美國為代表的「區域研究」（Regional Studies）之漢學典範的「大轉移」。以前作為「東方學」一部分的漢學（Sinology），主要是研究中國古典，而此後作為「東亞研究」一部分的海外中國學（Chinese Studies），開始逐步轉向以現代中國研究為主。進入二十一世紀後，世界發生巨大變化，在全球範圍的廣義漢學研究的「氣運」，正以相當快的頻率，由西文世界向中文世界移動。照此速度，也許只要再過十五到二十年，漢學研究的重心，就會從歐美返回到東亞來，出現第三次國際性的「典範大轉移」。這場「典範大轉移」，從二十世紀末已悄然開始，根據筆者對之所作的「有跡象的預測」，未來它或許會

以「中文」書寫媒介與「西文」書寫媒介並重，作為變化的標誌之一，因為語言、思維模式與「典範」三者之間，具有千絲萬縷的關係。筆者認為，隨漢學「典範大轉移」研究的展開，逐漸會自然導向一種與傳統漢學不一樣的「新漢學」。這種未來的「新漢學」會花開五葉，葉葉不同，而漢學與物質文化研究的進一步匯流，應該也是其中的一葉。為此，我們創辦「漢學與物質文化叢刊」全力推動。今天我們從國際「漢學與物質文化」研究聯盟的再出發，便也是走向「新漢學」多樣化途徑中的一條。

總而言之，科技部近年以四個大型前瞻性研究計畫推動「漢學與物質文化」研究領域的發展，已在國際上初成氣候，打開局面；今後，國際「漢學與物質文化」研究聯盟將承續漢學第三次「典範大轉移」方興未艾的大勢，再創新潮。展望未來，筆者認為，漢學的「典範大轉移」研究可以涵蓋包括漢學與物質文化研究在內的許多領域，而中文世界應該有屬於自己的學術論述，因此筆者目前正準備撰寫一本題為《漢學典範大轉移》大部頭專書，正面處理這個議題，也為以上各項大型研究計畫的執行，劃上理論性句號。

大學中的學術史

# 臺灣大學的現代文學與
# 比較文學研究

### 洪淑苓

　　臺灣大學創立於一九二八年，在現代文學的創作與研究上，臺大的老師與學生一向占有極重要的地位，且發揮了影響力。與臺大有關的作家，或在日治時期的新文學已嶄露頭角，或承接五四白話文學的精神，從文學的流動與會通來看，臺大作家的創作可說匯聚了二十世紀以來東西方現代文學的重要潮流。加上臺大師生所創辦的文學雜誌持續引介西方文藝思潮、當代文學理論，更促進現代文學的蓬勃興盛，同時也促進了比較文學在臺灣學界的生根、茁壯。是故，臺大與臺灣文壇、現代文學史、比較文學研究皆具有密切的關聯。以下從幾個點面評述。

## 一　現代文學作家、社群與思潮

## （一）日治時期新文學作家

　　對於新文學、現代文學的創作，日治時期的文人與作家已經展開試驗，並且也有不錯的成果。而這些作家中，和臺大有淵源的，譬如「臺灣新文學之父」賴和，他曾是總督府醫學校（臺大醫學院前身）

學生，他的小說《一杆「秤仔」》、新詩《南國哀歌》等，都是反映日治時期臺灣人民受殖民痛苦的心聲。又如楊雲萍，兼擅日文與中文創作，戰後獲聘為臺大歷史系教授。他的小說《咖哩飯》、日文詩集《山河》等，也都是膾炙人口的佳作。此外，身兼作家、報刊副總編輯、教授身分的黃得時，曾是臺北帝國大學文政學部東洋文學科（臺大文學院前身）學生，亦曾任職於《臺灣新生報》，戰後任教於臺大中文系，他的新文學作品有小說《橄欖》、評論《大文豪魯迅逝世——回顧魯迅的生涯與作品》、《達夫片片》等，顯現他對現代文學相當關注。

## （二）戰後以至一九五〇、一九六〇年代的作家與文藝社群

一九四五年以後，大陸學者文人隨國民政府來臺者眾，當時進入臺大任教的幾位師長，帶來了「五四」文學的精神，也開啟往後的現代文學之路。最具代表性的，在中文系有臺靜農，他是魯迅的學生，來臺後雖然轉向古典文學的教學與研究，但他的小說集《建塔者》、《地之子》，後來也出版了，使讀者一窺「五四」遺風。在外文系則以夏濟安為代表，他創辦《文學雜誌》，帶動寫作風氣，影響了當時仍是學生的白先勇等人，也締造了學院派文學雜誌的成果。

當時的青年學生輩，有來自大陸的學生，也有臺灣本地出生的青年，他們因為進入臺大就讀，受到這些老師前輩的啟發，以及同儕間的鼓舞，紛紛嶄露創作的才華，終於成為臺灣具有代表性的作家。這些學生包括中文系的林文月、葉慶炳、張健、吳宏一、柯慶明，外文系的余光中、白先勇、陳若曦、王文興、歐陽子、王禎和、杜國清、葉維廉等，各自在詩、散文、小說創作方面留下可貴的成果。林文

月、葉慶炳以散文著名，余光中參與藍星詩社的創立，張健亦為藍星主要成員，杜國清、葉維廉則是笠詩社、創世紀詩社的重要成員。而以白先勇為主的《現代文學》雜誌在一九六〇年代創辦，陳若曦、王文興、歐陽子、王禎和等人，都是創始社員，共同推動現代主義的文學創作。*

## （三）文學雜誌對現代思潮的譯介

由夏濟安主導的《文學雜誌》創辦於一九五六年九月，而在一九六〇年八月結束。但這份刊物的影響是深遠的，它代表臺灣戰後初期的文學潮流中，一群學院裡的師生對於文學的喜好和堅持，並開闢另一個有別於「戰鬥文藝」的園地。他們刊登的文稿，除一般創作，文學理論的譯介、中西文學的相關論述也相當多，這個現象可以說開創了一種風氣，也就是將現代文學的創作和文學理論、西方文藝思潮連結，提供給創作者和讀者新穎的觀念。

以白先勇為主導的《現代文學》深受其師長輩創辦的《文學雜誌》之啟發，該刊在一九六〇年三月到一九七三年九月共發行五十一期，由白先勇負責籌措資金，而外文系的幾位同學一同寫稿、譯稿和拉稿。比起《文學雜誌》，《現代文學》更強調創新的精神，他們努力介紹各種西方的思潮、創作觀念，以便所寫的作品可以表達屬於現代人的藝術情感；對於西方文學與理論的介紹，《現代文學》更以「專號」的形式推出，除作品翻譯外，往往也包括作者生平介紹，並附帶加以評論。除創刊號推出「卡夫卡專號」，也曾刊出多位諾貝爾文學獎作家的專號，對於艾略特的詩作與詩學，更前後刊出多期。

---

\* 編按：《現代文學》編輯委員會合影，見書前圖版，頁二。

《現代文學》編輯群對文學充滿熱情與執著，而這些譯介，為創作者與讀者帶來不同的視野，開拓更多元的文學品味。

## 二　比較文學的學科成立與研究扎根

如上所述，《文學雜誌》、《現代文學》以譯介外國文學與理論為宗旨，進而啟發作家的創作以及解讀作品的角度，其實已略具比較文學的雛形。進入一九七〇年代，臺大文學院更以三軌並進的方式——成立比較文學博士班、成立比較文學會以及結合《中外文學》，促進了比較文學在臺大扎根與茁壯。

一九七〇年，臺大外文系成立比較文學博士班，推動者是當時文學院院長朱立民與外文系主任顏元叔。但這個博士班不打算走英美文學博士班的路線，反而希望結合外文系與中文系的學術資源，使學生可以同時接觸外國文學與中國文學，進而可以建立具有中國／外國文學雙重視野的比較文學研究。紀秋郎、單德興、李有成、高大鵬、陳昭瑛、古佳豔等，都獲得此博士學位，成為外文、中文學界的優秀學者。近年臺大外文系雖已將比較文學博士班併入一般博士班，但比較文學仍是其修業與研究的主要方向之一。

一九七三年七月，朱立民等八位外文系學者與葉慶炳等四位中文系學者發起成立「中華民國比較文學會」，並藉此在《中外文學》開始介紹比較文學的觀念和發展；譬如《中外文學》創刊號（一九七二年六月）即刊登李達三著、周樹華與張漢良譯的《比較的思維習慣》，彷彿已經有所預告，二卷九期則有Aldridge, A. O. 著、胡耀恒譯的《比較文學的目的與遠景》（一九七四年二月）；其後則陸續有袁鶴翔《中西比較文學定義的探討》，李達三著、許文宏與馮明惠譯的《東西比較文學史的檢討》等文章，一路推進，顏元叔、胡耀恒、朱

炎、葉維廉、張漢良、陳慧樺、古添洪等，都是比較文學的旗手。古
添洪與陳慧樺編著的《比較文學的墾拓在臺灣》（臺北：東大圖書公
司，1976 年）、李達三的《比較文學研究之新方向》（臺北：聯經出
版公司，1978 年）二書，可說是最早結集的相關著作。而葉維廉、古
添洪與陳慧樺在東大圖書公司主編的「比較文學」叢書，更可說是具體
的成果。

此外，結合外文、中文兩系教授的中華民國比較文學會，自
一九七四年八月起對外擴大徵求會員，凡大專院校教師和研究生有志於
比較文學者，皆可申請入會。而學會也每年度主辦國際或全國比較文學
會議，開放對外徵稿，相關的徵稿主題、研究論文也都以專號的形式收
錄在當期的《中外文學》或另一英文的比較文學刊物《淡江評論》（淡
江大學外語學院出版）；譬如第四屆國際比較文學會議主題為「比較文
學與中國文學」（一九八三年八月），第五屆主題為「現代主義與中西
比較文學」（一九八七年五月）；第二十五屆全國比較文學會議主題為
「災難、創傷與記憶」（二〇〇一年九月）、第三十屆主題為「認同的
變向：全球化時代的主體生成與轉化」（二〇〇六年五月）；無論其
主題是企圖與中國文學對話，或是呼應世界文學脈動，或是跨領域研
究、文化研究，都在帶動臺灣學界的研究潮流，累積豐富的學術資源。

外文系主導的比較文學博士班、比較文學會，再加上《中外文
學》，形成了現代文學與比較文學研究的鐵三角。我們也可以發現，
就在《現代文學》即將衰退之際，一九七二年六月，外文系與中文系
多位教授共同發起創辦一份新的刊物《中外文學》。這些學者包括外
文系朱立民、侯健、齊邦媛、顏元叔、胡耀恒與中文系鄭騫、葉慶炳
等人；而該刊自創刊以來，迄今一直穩定出刊，在臺灣學術界已占有
關鍵性的位置。

《中外文學》創刊初期，係以顏元叔為主導人物，他引進新批

評，在第一期至第四期，藉由《細讀洛夫的兩首詩》，掀起一串現代詩論戰；而後又連續登載王文興小說《家變》，並舉行座談會，引起各方注目、論辯，具體呈現學界與讀者大眾對這篇小說褒與貶的兩極化情形，也為現代主義小說的讀者反應留下珍貴的紀錄。《中外文學》也曾連載林文月翻譯的日本文學名著《源氏物語》、《枕草子》等書，引起很大的回響。該刊既命名為「中外」文學，除了對外國文學以及理論的譯介，當然也兼納對中國文學的研究論文。除現代文學研究外，也有對於古典文學的研究，可分為兩個類型，一是屬於中國文學本身的研究模式，例如作家傳記考述、作品流派、文學史研究，另外更為突出的則是以西方文學理論來研究中國古典文學，例如張漢良的《「楊林」故事系列的原型結構》（一九七五年四月），係以榮格的神話原型理論研究古典小說「楊林」、「枕中記」系列故事，這種研究視角深深地影響了此後臺灣學界對中國古典文學的研究，也是比較文學研究的具體實踐。綜覽《中外文學》的文章，可知其編輯和登稿的方向，和「比較文學」在臺大外文系的扎根與開展著實有密切的關聯。

　　《中外文學》在一九八〇年代以後，逐漸聚焦在對當代文學理論與文化研究的介紹，例如精神分析、結構主義、解構主義、女性主義、後現代、後殖民等理論，透過專題邀知名學者撰稿，無論是就理論觀念加以譯介，或是以文學作品為例實際操作，都成為後來者追摹的範例，也大大助長了現代文學與文化的研究風氣。

## 三　現代文學、比較文學的教學與研究

　　作家的培育，本不限於任何科系，但因為小說家白先勇、王文興等人的光環，「作家都是出自外文系」的說法也流傳一時。然而隨著

中文系現代文學課程的增加與寫作風氣漸盛，出身中文系的作家，以及投入現代文學研究的中文系學者，也日漸增多，「現代文學」遂形成中文系學術傳統的脈絡之一；這方面，曾任系主任的葉慶炳教授實有開創性的貢獻。而當代年輕一輩的作家譬如散文家陳幸蕙、簡媜，小說家郝譽翔、黃錦樹，詩人陳大為等，都是臺大中文系畢業。

在外文系方面，雖以外國文學課程為主，但中文、外文兩系常有合作開課的例子，如外文系王文興所授的現代小說、王建元所授的文學批評、齊邦媛所授的高級英文（講授英美小說與詩）等，係為中文系而開；中文系也長期為外文系開設中國文學史課程；因此除了在文學雜誌上的通力合作，在課程、師資的援引上，中文與外文兩系一直保持良好的合作關係，共同擔負文學教育的責任。

值得注意的是，二〇〇四年八月，臺大成立臺灣文學研究所（簡稱臺文所），因為課程設計與發展方向的關係，進入臺文所的學生，不乏已經有現代文學作品集出版，或是已在文學界嶄露頭角的青年作家；加上各教授的專業取向，臺文所加入了現代文學、比較文學研究的陣容。按，臺灣文學的發展，於史可考者已有四百多年的歷史，除一九三〇、一九六〇年代是現代主義興盛時期外，臺灣文學的多元性，以及與日本文學、中國文學乃至世界文學的關聯，都可以從中發掘比較文學的議題。

是故，臺大教授對現代文學、比較文學的研究成果，除了前文所介紹外，近年可以看到的是，中文系何寄澎的現代散文研究、陳翠英的現代小說研究、外文系廖炳惠的後現代研究、廖咸浩的文藝／社會思潮研究、張小虹的性別／同志文學研究、流行文化研究，劉亮雅的臺灣後殖民小說研究、朱偉誠的同志文學研究等，都是很好的例子。而臺文所教授對於現代文學研究可說更有推波助瀾的作用，例如柯慶明的現代主義文學研究，郭玉雯的張愛玲小說研究、王文興小說研

究，梅家玲的現代小說研究、眷村小說研究，以及洪淑苓的現代詩、女性文學研究，都已出版相關的學術論著。另外，黃美娥的日治時期臺灣通俗文學研究、張文薰的日治時期臺灣新文學研究以及蘇碩斌的臺灣都市文化與文學研究，也都為現代文學研究擴充了領域與視角。

## 四　結語：展望

歷年來的臺大師生藉由現代文學創作、譯介與發行文學刊物的成果，和臺灣文壇產生密切的互動，在現代文學與比較文學的研究上更有開創性、主導性與關鍵性的位置。現今，為了促進現代文學研究，總圖書館也積極展開作家手稿資料的典藏工作；目前已有王禎和、王文興、林文月與葉維廉等作家的手稿典藏。而比較文學的觀念和方法，也已成為學術研究的常模，相信臺大教授與研究生將秉此深厚的人文傳統，在新世紀共同勾勒出臺大、現代文學、比較文學以及文學史的複雜網絡。

# 比較文學在北京大學

## 陳躍紅

　　如果我們把比較文學學科在中國的發展劃分為兩個階段，前一個階段即一九四九年以前，可以算是所謂非學科化階段，而後一個階段即一九七八年至今，自然就是學科化的階段了。有意思的是，清華與北大在這兩個時期中扮演的角色有著明顯的區分，但都對這一學科在中國的萌生、成長、復興和發展壯大做出了重要貢獻。由於清華的情況已有專論，我這裡就主要介紹一下北大的情形。

　　一九四九年前，比較文學在中國的發展無疑肇始於清華學者的研究貢獻，譬如王國維、陳寅恪、吳宓、瑞恰慈和後來的錢鍾書等人。不過這一時期北大的學者也積極展開了這一領域的研究。當時任教北大的魯迅發表於一九〇七年的《摩羅詩力說》無疑是這一時期重要的比較文學成果，他在著述中對十九世紀歐洲各國浪漫主義的許多代表人物，如尼采、拜倫、雪萊、普希金、萊蒙托夫等人的作品和詩風，一一加以大力推介和述評，而且從中國文論的立場出發，頻頻引證諸如《詩經》、《莊子》、《文心雕龍》的論述加以比較，令人對於詩學的觀念耳目一新。在魯迅看來，「意者欲揚宗邦之真大，首在審己，亦必知人，比較即周，爰生自覺。自覺之聲發，每響必中於人心，清晰昭明，不同凡響」。[1]後來寫成的《題記一篇》一文中，他進

---

1 《魯迅全集》第 1 卷，北京：人民文學出版社，1991 年，第 64 頁。

一步指出：「篇章既富，評騭自生，東則有劉彥和之《文心》，西則有亞里士多德之《詩學》，解析神質，包舉宏纖，開源發流，為世楷式。」[2]研究發現，魯迅不僅讀過勃蘭兌斯的《十九世紀文學主潮》日譯本，而且在一九一一年一月二日致許壽裳的信件中，還向他推薦了洛里哀的《比較文學史》一書，這種自覺的文論比較互證意識，既是現實問題研究的自然需求，同時也受到了歐洲比較文學學科的影響，在世紀初就走在了時代的前列。這一時期作為北大教授的周作人著有《文學上的俄國與中國》、《聖書與中國文學》、《中國新文學的源流》，朱光潛著有《文藝心理學》、《悲劇心理學》、《中西詩在情趣上的比較》，宗白華著有《論中西畫法之淵源和基礎》、《中西畫法所表現的空間意識》、《歌德之認識》。一九四五年後留德歸來進入北大任教的季羨林也陸續寫了《從比較文學觀點看寓言和童話》、《從中印文化關係談到中國梵文的研究》、《中國文學在德國》等文章。尤其一九四二年，朱光潛的《詩論》出版，該書側重探討某些中西詩學和美學的規律性問題，正如他在序中所言：「研究我們以往在詩創作與理論兩方面的長短究竟何在，西方人的成就究竟可否借鑒」，其方法只能是相互參照和比較，因為「一切價值都由比較而來，不比較無由見長短優劣」。[3]如果說，在比較詩學的學科研究範式中存在多種探討路徑的話，美學的比較和追問無疑是十分重要的路途之一，而朱光潛先生的理論探索具有開創性的意義，一九八〇年代以來，眾多沿著美學思路進行的比較詩學研究，不少都是在朱光潛的基礎上展開的。

此後直到一九七〇年代末期，比較文學在中國大致經歷了三十

---

2 《魯迅全集》，第 8 卷，第 332 頁。

3　朱光潛：《詩論·序》北京：三聯書店，1984 年。

年左右的沉寂期，隨著改革開放的時代到來，比較文學在中國大陸迅速復興，進而如火如荼地發展起來。由於一九五〇年代以後的院系調整，清華文科基本星散，只剩下了工科主體，因此，一旦歷史給予機遇，北大也就自然而然地擔當起了中國比較文學學科重建復興的重要責任。在一九七八年廣州召開的全國外國文學研究工作規劃會上，北大教授楊周翰就倡導恢複和發展比較文學研究，提出要開展「有意識的、系統的、科學的比較」。[4]一九八一年一月，北京大學比較文學研究會成立，時任北大副校長的季羨林任會長，李賦寧任副會長，樂黛雲、張隆溪等不少學者積極參與，出版《北大比較文學通訊》，編輯《比較文學研究叢書》，開設比較文學課程，邀請國外比較文學學者前來講學等，與國外另外一些得先聲的學人和院校一起，迅速開始了中國比較文學年中美雙邊比較文學討論會，在學科歷史上有重要標誌意義。北京大學出版社出版的一系列相關著述，譬如張隆溪編選的《比較文學譯文集》，張隆溪與溫儒敏編選的《比較文學論文集》，顏保翻譯的法國學者基亞的《比較文學》等，都對國內比較文學學科理論的普及和認知提供了學術資源。而緊隨錢鍾書的《管錐編》之後，北大學者的一系列比較文學著作出版，烘托起了中國比較文學學科的復興大勢，包括宗白華的《美學散步》、季羨林的《中印文化關係史論文集》、金克木的《比較文化論集》、楊周翰的《攻玉集》等，以及隨後出版的樂黛雲的《比較文學原理》、《比較文學與中國現代文學》，嚴紹璗的《中日古代文學關係》等等，也包括其他北大學者在東方文學比較方面的成果，都大大豐富了國內的比較文學業績。

也是在此期間，樂黛雲一度前往深圳大學兼任中文系主任和比

---

4　楊周翰：《關於提高外國文學史編寫質量的幾個問題》，《外國文學研究集刊》第2輯，北京：中國社會科學出版社，1980年，第15頁。

較文學研究所所長，出面組織和促成了中國比較文學學會成立大會暨國際學術研討會在深圳的召開，楊周翰擔任會長，樂黛雲任秘書長，秘書處設在北大，成為當年國際比較文學界最重要的學術事件。此後至今，中國比較文學學會的會長繼楊周翰後一直由樂黛雲擔任。楊周翰、樂黛雲等好幾位北大學者擔任過多屆國際比較文學學會副會長和執委會理事職務。二十多年來，北大始終承擔著中國比較文學學會的組織中心以及國際比較文學學會中國聯絡中心的工作，國際比較文學學會一九九五年還在北大召開過它的重要理事會。

同時作為本學科重要的國際學術交流中心，多年來，北大出面邀請了北美、西歐、東歐、日本、韓國、印度、巴西、南非以及港澳臺的大批比較文學和西方理論學者前來任教，講學。諸如傑姆遜、史景遷、佛克馬、孟爾康、雷馬克、喬納森・卡勒、德里達、霍米巴巴、宇文所安、浦安迪、蘇衡哲、喬姆斯基以及葉嘉瑩、葉維廉、袁鶴翔、周英雄、李達三等，都在北大講壇上展示了他們的跨文化研究學術風采，並且對中國學術界構成影響，有些甚至還成為重要的學術事件。

一九八五年，經國家教委（即教育部）批准，編制為十四人的北京大學比較文學研究所成立，同年開始招收碩士研究生。一九九三年，國內第一個比較文學博士點經教育部批准，在北大比較文學與比較文化研究所開始招收博士研究生。此後，這一學科開始受到國家教育管理部門較多的重視，譬如，一九九五年北大召開「文化對話與文化誤讀國際學術研討會」，時任國家教委主任朱開軒親自出席作報告；而二〇〇一年北大召開「多元之美」國際學術研討會的時候，教育部副部長也親自與會。這些在中國學術界都是罕見的體制認同，其間樂黛雲、孟華等北大學者做了大量工作，從一個方面有力地推動了比較文學學科最終整合世界文學而成為國家認定的文學一級學科隸屬的二級學科（比較文學與世界文學），完成了它的學科化進程。

　　也就是在這一時期，北大的一批比較文學教學研究機構陸續組建完成並且運行至今。包括改名後掛靠中文系的北大比較文學與比較文化研究所，隸屬外語學院的比較文學與世界文學研究所，隸屬於社科部的跨文化研究中心，還有諸如中外傳記研究中心、電影與文化研究中心、批評理論研究中心、東方學研究中心等，都從事著比較文學相關領域的教學研究工作。形成了北大多學科、多語種和多領域的比較文學研究特色學科群，同時也是國內不多的幾家比較文學國家重點學科之一。目前校內保有在讀各領域的比較領域碩士生和博士生六十多人，年招收二十多人，開設《比較文學原理》、《比較詩學》、《比較文學經典選講》、《西方經典細讀》、《中外文學關係》、《國外中國學研究》、《比較文學學術規範和學術前沿》、《批評理論》、《美國比較文學》、《法國比較文學》、《文化研究理論》、《中外電影分析》等眾多課程。大批研究生學成畢業，成為國內院校和研究機構的學科生力軍，一些奔赴歐美各國名校深造，不少人獲得國外教職，成為教授，更多的歸來參與國內學術工作。

　　除了前述早期的叢書和著述出版外，近年來北大學者又編輯出版了比較文學系列教材、比較文學文庫、比較文學演講錄叢書以及刊物《跨文化對話》、《多邊文化研究》等，在國內有很大影響。其中《跨文化對話》已列入核心期刊序列。目前又籌辦了《比較文學與世界文學》雜誌，已經出版兩期。「比較文學基本文庫」和新的「比較文學譯叢」的出版已經在啟動中。

　　作為國內比較文學研究的重鎮，北大的比較文學研究結合自身的人文學科傳統優勢和語言學科結構，在諸如中國比較文學理論與實踐的探索、舶來學科的挪移與價值重構、新的比較文學方法論以及研究範式探討、原典實證方法與實踐、比較詩學、跨文化對話的理論與實踐、形象學、東亞比較文學與文化關係研究（涵蓋蒙古、西亞）、南

亞和佛教文化比較研究、文化研究與中外電影闡釋等方面,已經逐漸
形成了自身的學科特色,並且不斷在影響著國內甚至周邊地域的比較
文學研究。

　　經過三十多年的發展,北大學者在國內比較文學和整個文學學
界,於學科思想推動,學術組織,學術交流,學術出版和教學研究領
域,不斷全方位地扮演著引領性的學術主角。在經過了復興發展和轟
轟烈烈的跨越式熱鬧後,北大的比較文學研究近幾年正在慢慢沉潛下
來,走向進一步夯實學科地基、整頓和加強隊伍、選定主攻方向、紮
實深入展開研究的階段,這顯然很值得期待。

# 清華大學與中國比較文學的
# 興起與發展

## 王寧

　　眾所周知，清華大學曾在中國現代學術史上有過十分輝煌的一頁，其人文學科曾人才輩出，大師薈萃，在文學研究領域也是如此。今天，我們從學科史的角度來看，完全可以這樣認為，清華大學的人文學科對於中國現代比較文學的興起與發展起到了不可替代的重要作用。眾多在後來的中國比較文學領域裡著述甚豐的重要學者都出自清華大學，或者在這裡任教，或者在這裡求學。隨著時間的推移，這一點將越來越被歷史所證明。正如中國比較文學學會會長、北京大學中文系教授樂黛雲在二〇一一年舉行的中國比較文學和文化研究高峰論壇上所指出的，「清華大學是公認的中國比較文學發源地。這不僅是由於中國比較文學第一部教材、第一次課程都始源於清華大學，更重要的是中國從事比較文學教學和研究的第一代學者和教師，如季羨林、吳宓、王佐良、楊業治等都出身於清華外文系，他們培育了今天第二代、第三代的中國比較文學學者。現在，清華大學的比較文學與比較文化中心已經取得了出色的成績」。樂黛雲的這一看法同時也得到了前來論壇作主題發言的美國藝術與科學院院士、康奈爾大學一九一六級英文和比較文學講座教授喬納森・卡勒（Jonathan Culler）的充分認可。

　　確實，如果說對於改革開放後比較文學在中國的復興，北京大學的學者起到了重要的領軍作用的話，那麼追溯一下比較文學這門學科在中國的起源、發展以及日臻成熟，我們就會發現，清華大學作為中國現代比較文學的主要發源地之一，對於這門學科在中國的草創和起源，做出了歷史性的貢獻。這些重要的歷史貢獻對於新時期比較文學學科的全面復興乃至走向世界也起到了不可忽視的奠基性作用。許多中國比較文學界的先驅者，如王國維、梁啓超、吳宓、梁實秋等，均曾在這裡任教，他們廣博的學識和跨學科的研究實績至今仍對今天的清華文學學者有所教益。在海內外享有崇高聲譽的比較文學學者錢鍾書、季羨林、楊周翰、李賦寧、王佐良、許淵沖等也曾先後在這裡求學或任教。此外在這裡任教的還有現代英國新批評派的代表人物瑞恰慈和燕卜蓀。早在一九三〇年代，當時的清華大學中文系教授聞一多就主張打通中國文學和西方文學的界限，以便培養出兼通中西的文學研究人才，後來由於他的英年早逝，這一美好的夙願未能實現。但在今天的重視中西會通、文理兼容的新清華大學，他的這一願望終於得到了實現。

　　荷蘭學者佛克馬曾指出，魯迅因其發表於一九〇七年的《摩羅詩力說》奠定了他作為中國比較文學奠基人的地位。但實際上，如果我們再把這一時間往前推，就會發現，一九〇四年，王國維的《〈紅樓夢〉評論》就已問世，而那本專著才是中國文學研究中第一篇真正具有中西文學比較研究性質的論著，因而這兩位學者的努力共同催生了中國的比較文學。曾在清華大學以及後來的西南聯大求學或任教的中外學者，也分別為這門學科在中國的駐足做出了奠基性的貢獻：在哈佛大學獲得碩士學位的吳宓回國後在清華大學講授中英比較文學；在耶魯大學獲得博士學位的陳嘉在西南聯大講授莎士比亞；在法國斯特拉斯堡大學獲得博士學位的朱光潛回國後同時在北京大學和清華大學

講授文藝心理學,等等。在他們的言傳身教下,一批傑出的學者從這裡走出。另一些有著在西方大學訪學或從事研究經歷的學者,也在自己任教的大學開設與中外文學比較研究相關的課程,如清華大學以及其後西南聯合大學的聞一多、葉公超和錢鍾書,曾在清華大學任教其後調入東南大學的陳銓等。尤其值得在此一提的是,西方著名文學學者,如瑞恰慈、燕卜蓀等,也通過講座和授課等方式,為中國學生開設了中外文學比較和文學理論課程。這些有著廣博學識的西方學者,不僅以比較的方法講授了各種現代文學理論,同時也向學生們提供了西方語境下的比較文學研究的最新進展和前沿理論課題。[1]

其實,清華大學與中國現代比較文學的淵源關係,還體現在它與其他人文學科的互動和互補。在這方面,曾在清華大學工作過的國學院四大導師做出了重要的貢獻,而對於這一點學界過去很少有人提及。一九二五年清華大學國學研究院成立,開學之日,學院主任吳宓便闡述了國學院的辦學宗旨,他指出:「惟茲所謂國學者,乃指中國學術文化之全體而言。而研究之道,尤注重正確精密之方法(即時人所謂科學方法),並取材於歐美學者研究東方語言及中國文化之成績,此又本校研究院之異於國內之研究國學者也。」一九二六年,清華大學西洋文學系成立。一九二七年後,四大導師之一陳寅恪開設了「西人之東方學目錄學」,該課程體現了借鑒西方現代科學方法重新闡釋中國傳統文化的鮮明特色。他還指導有關比較文學研究方面的研究生,研究範圍包括《古代碑志與外族有關係者之比較研究》、《蒙古、滿洲之書籍及碑志與歷史有關係者之研究》。作為一位現代史學大師,陳寅恪的古典文學造詣也很深,並且在這方面有所著述。早在

---

1　關於早期清華大學的比較文學及相關課程的開設情況,參見郭昱:《清華大學與現代中國比較文學》,《中國比較文學》2007年第1期。

留學歐美期間，陳寅恪就有弘揚中國學術的遠大抱負，並嘗試著用英文發表論文，這對於我們今天實行中國人文社會科學研究的國際化戰略無疑起到了開拓性的作用。現在德國哥廷根大學任教的漢學家施耐德為了追蹤陳寅恪的學術足跡，不僅到當年陳寅恪留學過的洪堡大學查閱了歷史檔案，並查閱了陳寅恪發表的英文論文，發現他自己使用的姓名的拼音是 Ch'en Yin-k'o，所發表的兩篇英文論文的題目分別為 Han Yü and the T'ang Novel（1936）和 The Shun-tsung shi-lu and the Hsü hsüan-kuai-lu（1938）。他的這一發現為證實陳寅恪對現代比較文學的開拓性貢獻提供了有力的證據，也充分體現了中國早期的比較文學大師從一開始就十分注重跨學科的比較研究，並重視用外語著述在國際學界發表，以便發出中國人文學者的聲音。國學院的另一位導師梁啓超在中國現代小說史上的貢獻，已有不少著述論及，我這裡僅想強調，梁啓超雖然未專門撰寫過比較文學學科方面的著述，但他在推進西學東漸方面所做出的開拓性貢獻卻無人可以比擬。針對中國當時學界的萬馬齊喑的狀況，梁啓超大聲疾呼：「欲新一國之民，不可不先新一國之小說。故欲新道德，必新小說；欲新宗教，必新小說；欲新政治，必新小說；欲新風俗，必新小說；欲新學藝，必新小說；乃至欲新人心，欲新人格，必新小說。」[2]那麼通過何種方式來「新」小說呢？無疑是通過大量地翻譯外國小說。可以說，「五四」前後的大規模的文學和文化翻譯對於中國現代比較文學的崛起也起到了重要的推進作用。可以說，在很大程度上比較文學就是一門「譯介」過來的學科。對於另一位國學導師趙元任的學術貢獻，學界一般公認為他是一位語言大師，並有著深刻的音樂造詣，卻很少提到他在文學方面的貢獻，實際上他不僅曾在中文系教過文學課，此外還翻譯過西方文學

---

2　梁啓超：《論小說與群治之關係》，《新小說》第1卷第1期，1902年11月。

作品，再加之他深厚的音樂造詣和語言功力，他的研究實際上已達到了比較文學的超學科研究境地。上述幾位先驅者的努力，為一九八〇年代比較文學在中國的全面復興奠定了重要的基礎。由此可見，對於比較文學這門學科在中國的復興，清華學人的貢獻恐怕無可比擬。

改革開放以來，錢鍾書於一九八三年率先在北京倡導主持了第一屆中美比較文學雙邊討論會，並為中美學者的定期或不定期交流對話機制的確立做出了奠基性貢獻。一九八五年十月中國比較文學學會在深圳舉行成立大會暨首屆國際研討會，早年畢業於外文系的季羨林被選為名譽會長，曾在清華研究院學習過的楊周翰當選為會長。更為值得欣慰的是，由錢鍾書開創的中美比較文學雙邊討論會在中斷了十四年之後，於二〇〇一年在清華大學恢復。從那以來，歷屆中美比較文學雙邊討論會均由我本人領銜策劃。所有這一切均為清華大學比較文學與文化研究中心的成立和發展奠定了堅實的基礎，而由人文學院外文系和中文系合辦的中西合璧班則為從大學本科階段起培養高水平的比較文學研究人才打下了基礎。在清華大學大力發展文科並力求使之躋身國內一流並在國際上產生重要影響的進程中，比較文學與文化研究中心於二〇〇一年由人文社會科學學院批准成立，確立了「國際性、前沿性和跨學科性」為其研究特色，並聘請了國內外著名學者佛克馬、樂黛雲等任顧問。一些蜚聲海內外的比較文學和文學理論大師，如弗雷德里克·詹姆遜、希利斯·米勒、佳亞特里·斯皮瓦克、霍米·巴巴、孫康宜等，應聘擔任中心的客座教授或客座研究員，目前在學術研究以及國際學術交流方面已取得了很多成績。我們可以告慰我們的前輩學人：你們開創的中國比較文學事業已經在改革開放後的新清華大學得到了進一步的發揚和光大。新一代清華學人將立足中國，面向世界，為中國文學走向世界做出自己獨特的貢獻。

# 清華大學與二十世紀漢學史的交融

## 以聞一多為例

### 陳玨

　　在過去的幾年中，筆者作為臺灣清華方面的總主持人，先後聯袂張國剛教授和格非教授兩位北京清華方面的總主持人，連續共同主持了兩岸清華「漢學的典範轉移」合作研究計畫（2010-2011）和兩岸清華「新漢學與世界文學視野中的二十世紀中國文學」合作研究計畫（2013-2015），深深感到百年清華的學術傳統與漢學之間，真有千絲萬縷的關係，所謂剪不斷、理還亂，至今還幾乎沒有人說得清其中的詳細脈絡。這一筆寶貴遺產，有待兩岸清華人的共同整理。

　　緣於此，筆者在獻給清華大學百年校慶的《漢學與物質文化》的「緣起」中，試圖用如下的簡要說明，來描繪清華漢學的過去與現在：「清華的漢學研究的傳統，源遠流長，百年來人材輩出。李亦園先生在本書序言中曾舉出教授中的國學院四導師和李濟、蔣廷黻諸先生，以及學生中的張蔭麟、梁實秋、湯用彤、陸侃如、王力、夏鼐、吳宓、錢鍾書、楊聯陞等各位為例，以一斑窺全豹，說明清華在漢學界的影響與實力。除此而外，早期清華師生中之馮友蘭、柳詒徵、林語堂、李方桂、聞一多、潘光旦、吳文藻、羅念生、雷海宗、梁思成、趙蘿蕤、柳無忌、羅香林、何炳棣等，一長串名單，難以枚舉。經過以上老清華諸子的努力，使漢學的精華，深入到對文學、史學、

哲學、文字學、心理學、社會學、經濟學、人類學與藝術史等現代人文社會科學的各個領域的探索中去，對於改建現代中國人在西學東漸衝擊下的文科知識結構，有十分重大的貢獻和深遠的影響。物換星移，到了二十世紀八九十年代，當兩岸清華在各自的校園裡，不約而同地大規模再設人文社會各學門的時候，李亦園先生與李學勤先生，分別集合同仁，規劃藍圖，重整清華漢學的旗鼓，成為新竹清華和北京清華本領域的兩位開山大佬。如今之兩岸清華，自山門重開之後，在一二十年間，經過各位先進與同仁的默默耕耘，在漢學領域內，無論是從學術研究的先導方面，還是從圖書資料的積累方面，或是從下一代研究生的培養方面，均已悄然分別名列臺灣與大陸之前茅，並逐漸開始發生國際性的影響力。」[1]

　　從以上這張「不完全」的名單中，筆者產生了寫一部《清華漢學史》的念頭，無論作為二十世紀漢學史的一個「補缺」的部分，還是作為「清華學派」研究的一個組成部分，[2]都應該不是一件沒有意義的事情。當然，如上所述，要整體研究清華大學與二十世紀漢學史的交融的方方面面，非一本大書不可。本文作為一篇小小的筆談，可以說是為上面所提到的《清華漢學史》計畫開始動筆撰寫的第一份「札記」，試圖以「小」見「大」，先不提百年清華「老字輩」教授諸公與國際漢學界眾大佬多次學壇「論劍」的精妙場面，只在清華當年「小字輩」的眾多「華」、「洋」學生和助理中，舉出聞一多（1899-

---

1　參見陳玨主編：《漢學與物質文化》，臺北：聯經出版事業股份有限公司，2011年，第4-5頁。該書序言的作者李亦園院士為蔣經國基金會前理事長和臺灣清華大學人文社會學院創院院長。

2　筆者發現，早年「清華學派」的諸健將，很多都與當時的西方漢學界有頻繁的互動，此處不能詳，留待另文再討論。關於「清華學派」在學術史上存否之爭論，參見桑兵、關曉虹編：《因先後創與不破不立：近代中國學術流派研究》，北京：三聯書店，2007年。

1946）為例，以斑窺豹，拋磚引玉，看看清華與二十世紀漢學史如何雙向影響，交融一體。總而言之，在此略顯冰山之一角，為的是等待未來進一步的深入研究。

聞一多在清華的經歷，可謂是學兼「中」、「外」，畢業放洋前是「外文」系的學生，而從美國芝加哥藝術學院和科羅拉多學院學成歸來後，曾擔任「中文」系教授和主任，[3]寫出了《神話與詩》、《古典新義》、《唐詩雜論》等具有劃時代意義的「跨學科」的學術史名著。[4]我個人認為，其成績的中心便是國學與漢學的交融，而這一點似乎還沒有引起學術界的充分注意，有必要在此略作申論。

和胡適等人不同，聞一多沒有留下全套的日記，所以我們不知道他自二十四歲到二十七歲間留學美國的時候，究竟讀過哪些漢學方面的書。[5]同時，聞一多留學美國的時代，正值西方漢學的第一次典範大轉移接近完成之際。[6]當時篳路藍縷，百事待興，芝加哥大學今天擁有七十萬冊藏書，號稱美國中西部最大的東亞圖書館，在聞一多留美的時代，離草創建立，也還有十多年的時光。在沒有書單的情況下，我

---

3　譜載聞一多一九四〇年在西南聯大時期因朱自清休假，始兼代清華中文系主任，至一九四六年向梅貽琦校長辭職，任職有六七年。然而，其實在一九三二年初聘為清華中文系教授時，校方即曾有以其為主任之意，唯為聞氏所謝絕而已。參見聞黎明、侯菊坤編，聞立鵬審定：《聞一多年譜長編》，武漢：湖北人民出版社，1994年，第 427-428 頁。

4　以上三書，各有單行，後均收入《聞一多全集》，參見聞一多：《聞一多全集》（四卷本），北京：三聯書店，1982 年。筆者認為，這三部書清晰呈現了聞一多治學的「跨學科」特色及這種特色與漢學的關係，詳見後文。

5　雖然聞一多留下的大量書信中，保留了一部分他在留學美國其間的生活面貌，這些書信在聞氏後人所編的《聞一多年譜長編》中有很多引用，可以作為研究參考，然而其中關於他留學時的讀書書單的資料，仍十分稀少。

6　關於漢學的三次「典範大轉移」，參見陳珏：《杜希德與二十世紀歐美漢學的「典範大轉移」——〈劍橋中華文史叢刊〉中文版的緣起說明》，《古今論衡》2009年第 20 期，第 51-53 頁。

們有時很難推斷他讀書時和美國漢學界接觸的具體深度。

不過，從他後來的著作中，可以確定看到聞一多對許多當時知名的漢學家的著述十分熟悉，並多有引用。聞一多筆下引用的學者，僅以英國漢學家為例，其中有些今天中文世界的學術界仍耳熟能詳，如斯坦因（Aurel Stein, 1862-1943）和葛維漢（David Crockett Graham, 1884-1961），前者的敦煌劫經和後者的華西考古，[7]都常有人提起。也有些當時名盛一時的重要人物，如今卻鮮為人知（尤其在中文世界），如葉慈（Walter Parceval Yetts, 1878-1957）便是一個例子。[8]我相信，現在的大陸和臺灣都很少有人知道，葉慈在八十年前出任倫敦大學首任中國藝術與考古講座教授，是英國漢學史上何等樣的一件大事，[9]以及他的《猷氏集古錄》（*The George Eumorfopoulos Collection*;

---

7　斯坦因的敦煌劫經，為一般讀者耳熟能詳，此處無需辭費。葛維漢的華西考古，即使時至今日，也仍為西文世界和中文世界的行內人士所津津樂道，前者例如德國國家圖書館前東方部主任魏漢茂（Hartmut Walravens）所編 *David Crockett Graham (1884-1961) as Zoological Collector and Anthropologist in China*（Wiesbaden：Harrassowitz, 2006），後者參見李紹明、周蜀蓉編：《葛維漢民族學考古學論著》成都：巴蜀書社，2004 年。

8　其人之漢名，聞一多作「葉慈」，與愛爾蘭大詩人「葉慈」（William Butler Yeats, 1865-1939）的中文譯名相同，容庚作「葉泰慈」，夏鼐作「葉茲」，因夏鼐曾從遊其門下，或以「葉茲」為是，然因為聞一多作「葉慈」，我在這篇以聞一多為主體的小文中，仍統一稱為「葉慈」。還有，夏鼐留學倫敦時與「葉慈」的這一層師生關係，承王汎森學長提示，特此誌謝。另外，值得注意的是，夏鼐與聞一多兩位均為清華先後校友，而當前者還在清華歷史系求學的時候，後者已經是清華中文系教授了。

9　相對於物理化學和英美文史，漢學在西方的大學中，是一門相當年輕（或者說晚起）的學問。在歐洲的漢學史上，如果某所主流大學設立漢學中某分支專業（例如文學、歷史等）的講座教授職位，可以從側面說明，該校承認該分支已經是一門成熟的學問。葉慈在一九三三年擔任倫敦大學首任中國藝術與考古講座教授，說明倫敦大學作為英國與牛津劍橋並列的三大主流大學之一，承認中國藝術與考古為「成熟學問」的時間相當早，極富遠見。反觀牛津大學要等到七十五年之後，才設立中國藝術史講座，由柯律格（Craig Clunas）擔任，可見一斑。同時，據夏鼐當時日

*Catalogue of the Chinese and Corean Bronzes, Sculpture, Jades, Jewellery and Miscellaneous Objects*）曾經是怎樣的一部里程碑式的著作[10]。更少有人知道，葉慈的中國考古和藝術史研究，在他同時代的華人學者眼中，有哪些價值和缺陷。[11]不管是以上的哪一類人物，聞一多的引用，都信手拈來，如數家珍。根據筆者的初步研究，正是這種對漢學「跨學科」思路的了解和吸收，使得聞一多寫出了《神話與詩》這樣具有人類學視野的劃時代著作。[12]

如上所談，筆者在這篇小文中，之所以用詳細的注釋，試圖呈現聞一多對同時代漢學界的了解，是為了以此為基礎，說明聞一多如何在其融會中西的學術著述中，對西方漢學做出創造性的回應，或者說

---

記，其在一九三五年初入倫敦大學研究所留學時，曾持李濟的介紹信去見葉慈，並考慮是否要從葉慈攻讀學位，剛出版不久的十卷本《夏鼐日記》（上海：華東師範大學出版社，2011 年）卷一至卷三有多處涉及此事。

10 葉慈《歐氏集古錄》為英國當時大名鼎鼎的歐氏藝術收藏（*The George Eumorfopoulos Collection*）的一部大型研究性圖錄，參見 Walter Parceval Yetts, *The George Eumorfopoulos Collection; Catalogue of the Chinese & Corean Bronzes, Sculpture, Jades, Jewellery and Miscellaneous Objects*（London：E. Benn, 1929-1932）。在西洋藝術史界，重要藝術收藏的研究性圖錄，可以成為學術的名著。在葉慈前後，歐氏收藏的圖錄編訂者不乏像名詩人兼藝術史家賓揚（Laurence Binyon, 1878-1957）和維多利亞阿伯特博物院院長阿西頓爵士（Leigh Ashton, 1897-1983）這樣的烜赫的人物，然以葉慈《歐氏集古錄》最受推崇。

11 葉慈《歐氏集古錄》甫一出版，時任《燕京學報》主編的容庚即在該刊發表書評，盛讚其成績，參見容庚〈評歐氏集古錄第一集〉，《燕京學報》1929年第5期，第965-966頁。同時，夏鼐和向達等當時留學倫敦的學生輩卻對之頗有譏評，參見夏鼐《夏鼐日記》卷一至卷二，有多處記錄。筆者認為，這並不是一個孤立的例子，而是一種有普遍意義的現象，一方面正呈現出漢學的視野值得國學研究者參考，另一方面也表明了國學的視野對漢學有天然的補正作用，並可以在參考的同時做出創造性的響應。

12 聞一多《神話與詩》融會了當時歐洲和美國漢學界以人類學入文學研究的「跨學科」取向，並天衣無縫地補之以漢學家一般難以具備的國學根底，做出「出於漢學」，而又「超越漢學」的創造性回應。

如何「出於漢學」，而又「超越漢學」。前引李亦園先生為筆者主編
《漢學與物質文化》一書所寫的序言中，還有這樣一段話：「清華不
僅受國際漢學界影響，也影響了國際漢學界。舉一個例子，二十世紀
美國漢學界的領航人物費正清（John Fairbank, 1907-1991），年輕時來
華，曾拜在清華歷史系主任蔣廷黻（1895-1965）門下，受業從遊。這
段經歷，對其日後在哈佛叱吒風雲的學術生涯，有極大影響。這一雙
向的傳統，是很值得注意的。」[13]筆者認為，聞一多對西方漢學做出的
創造性回應，正是清華的學術群體與國際漢學界「雙向」影響的又一
個例子。

　　從中文學門的角度，大而言之，聞一多對西方漢學的創造性響
應，也體現在他的未竟事業——重寫中國文學史，尤其是中國自古
至唐的詩歌史上。重寫中國文學史，他留下一份提綱。[14]重寫中國自
古至唐的詩歌史，據筆者推測，聞一多《唐詩雜論》便應該是其中涉
及「初唐詩」和「盛唐詩」部分的一本「札記」。自晚清「西學東
漸」、「整理國故」，很長時間以來，無論國學界還是漢學界，直到
在一九七〇年代末和一九八〇年代初，宇文所安（Stephen Owen）的
出現，[15]始終沒有一部用現代眼光寫的「初唐詩」和「盛唐詩」。其
實，天假聞一多以年，使之有機會擴充《唐詩雜論》，第一部現代眼
光的「初唐詩」和「盛唐詩」的史著，也許便是用中文寫成的。此
外，據筆者之見，聞一多在一九四〇年代中葉請辭中國文學系主任前

---

13 參見陳玨主編：《漢學與物質文化》，第4-5頁。

14 除了提綱，也有一些稿本，例如收入《神話與詩》的《歌與詩》一文，便是其醞釀
　中的《中國上古文學史講稿》中的一部分。

15 參見 Stephen Owen, *The Poetry of the Early Tang* (New Haven: Yale University Press,
　1977) 和 *The Great Age Of Chinese Poetry: the High Tang* (New Haven: Yale University
　Press, 1981)。

後，仍十分關心清華未來開創院系規劃的新格局，提出「中文」和
「外語」兩系合併，重分「語言」和「文學」兩系的建議，[16]也許同樣
是受到以國學創造性回應漢學的這一思路的影響。此建議雖然未能實
現，卻非常值得在「清華漢學史」的框架內，重新展開研究。

　　還有一件十分令人遺憾的事情，即一九四〇年代中葉，經梅貽琦
校長推薦，加州大學邀請聞一多前往講學，然聞一多因事忙未成行，[17]
否則清華的學術群體與國際漢學界「雙向」影響史上，應該會增添新
的一章。聞一多在清華大學與二十世紀漢學史的交融中的身影，還有
很多可寫，清華大學與二十世紀漢學史的交融的方方面面和整體圖
畫，更是一座尚未開發的庫藏。限於筆談的篇幅，留待來日。

---

16 參見聞黎明、侯菊坤編，聞立鵬審定：《聞一多年譜長編》，第82、83頁。
17 同前註。

錢鍾書與魏理

# 錢鍾書比較詩學方法論舉隅

## 陳躍紅

　　題謂錢鍾書比較詩學方法論，實則僅僅是以寥寥數節文字試說錢氏的詩學言述特點，拾零舉隅，掛一漏萬，既不精當，也不可能全面，目的無非是以此引起方家的興趣而已。

　　言及比較文學研究的方法困擾，如何處理不同文化間文學現象的同異關係，一直是學界普遍認同的難點之一，無論是求同還是析異，弄不好都可能落入發生學普遍性趨同和獨特性部落主義自閉的雙重陷阱。

　　而面對這一學術方法糾結，錢鍾書在他的學術生涯中不僅始終保持著一份警惕和清醒，而且能夠以辯證的思維意識去超越這一看似難解的二元對立，以獨特的方法運用去論述和分析具體的文藝同異關係命題，在他無論早期的著述，還是後期的言論中，都有著一貫的自覺和遊刃有餘的超越。事實上，在他的心目中，「在某一意義上，一切事物都是可以引合而相與比較的；在另一意義上，每一事物都是個別而無可比擬的」（《中國比較文學年鑒》寄語頁），對於比較文學而言，無非是要求再跨越數層文化、傳統、學科和語言的藩籬罷了。

　　那麼，錢氏在著述中是如何去實現對所謂同異關係的超越性把握和論述呢？在對他洋洋大觀的著作和留存的中外文筆記進行全面讀解認知之前，尚難以貿然做出斷語。但這裡不妨撿拾其間的零星論述來略加展開，管窺巨測，似乎也可見其一斑。

# 一　意義動態生成與循環理解的同異關係認知結構

　　一般關注錢鍾書著述的人士大致都能注意到他的這一方法特色，那就是在展開每一個所要討論的問題時，總是習慣於不斷發掘可資比較的兩方或者數方之間同中有異、異中見同的複雜關係，層層深入地加以剖析，形成一系列同異關係的表述陣列。在具體分析過程中，他又絕非僅限於靜止的現象羅列，而是通過不斷轉移的分點論述展開和最後的論述合圍來形成一套動態生成的論述框架。我這裡不妨武斷一點，大膽稱這種方法為所謂比較方法中的同異關係辯證法，此可以說是錢氏比較方法的一大特色。

　　《管錐編・左傳正義・三》中有一段文字經常被學者加以引用，試圖以此來說明錢鍾書與現代西方闡釋學的關係，言之鑿鑿，不可爭辯。但是如果再仔細閱讀辨析，則可以感覺到錢氏在這段話中的主旨並非是要突出「闡釋之循環」，而是借西學中的這一方法來佐證自己關於「理解」和「意義生成」的基本判斷。原文如下，請讀者先試讀一通：

> 匹似「屈」即「曲」也，而「委屈」與「委曲」邈若河漢。「詞」即「言」也，而「微詞」與「微言」判同燕越。「軍」即「兵」也，而「兵法」與「軍法」大相逕庭。「年」即「歲」也，而「棄十五年之妻」與「棄十五歲之妻」老少懸殊。「歸」與「回」一揆，而言春之去來，「春歸」與「春回」反。「上」與「下」相待，而言物之墮落，「地上」與「地下」同。「心」、「性」無殊也，故重言曰：「明心見性」；然「喪失人心」謂不得其在於人者也，而「喪失人性」則謂全亡其在於己者矣。「何如」、「如

何」無殊也，故「不去如何」猶「不去何如」，均商詢去抑
不去耳；然「何如不去」則不當去而勸止莫去也，「如何不
去」則當去而責怪未去矣。苟蓄憤而訴「滿腹委曲」，學道
而稱「探索微詞」，處刑而判「兵法從事」，讀「棄十五
年之妻」而以為婚未成年之婦，詠「春歸何處」而以為春
來卻尚無春色，見「落在地下」而以為當是瀉地即入之水
銀，解「獨夫喪失人心」為「喪心病狂」、「失心瘋」，視
「不去如何」，「如何不去」渾無分別；夫夫也不謂之辨文
識字不可，而通文理、曉詞令猶未許在。乾嘉「樸學」教
人，必知字之詁，而後識句之意，識句之意，而後通全篇之
義，進而窺全書之指。雖然，是特一邊耳，亦只初桄耳。復
須解全篇之義乃至全書之指（「志」），庶得以定某句之意
（「詞」），解全句之意，庶得以定某字之詁（「文」）；
或並須曉會作者立言之宗尚、當時流行之文風、以及修詞異
宜之著述體裁，方概知全篇或全書之指歸。積小以明大，
而又舉大以貫小；推末以至本，而又探本以窮末；交互往
復，庶幾乎義解圓足而免於偏枯，所謂「闡釋之循環」（der
hermeneutische Zirkel）者是矣。〔……〕《鬼谷子‧反應》
篇不云乎：「以反求覆？」正如自省可以忖人，而觀人亦資
自知；鑑古足佐明今，而察今亦裨識古；鳥之兩翼、剪之雙
刀，缺一孤行，未見其可。（170-71）

　　這是一段充滿著眾多語詞同異關係辨析的文字，仔細領會文中
中心論點所表達的意思，基本上就是在反復強調，只有破除詞典中同
義詞、近義詞或反義詞的絕對化分類，以及由此所帶來的思維固化，
將字詞置於句子中和篇章中去具體分析，再通過考察全篇進一步核實

字、詞、句之義,同時反過來以之檢驗之前對於全篇之義的判斷,才能真正做到對一篇文字的正確理解。一如他本人在《談藝錄》和《管錐編》的大部分篇章中所建構論述的那樣。

如果再進一步分開仔細讀解,則作者所展開的分析層次其實相當清楚。首先一層,在由字組詞、由詞成句的過程中,字、詞的意思從孤立到集合,註定在這一過程中將要發生各種意想不到的動態變化,因此語義層的複雜意義碰撞和生成就要求讀者結合具體語境去考察字、詞、句、篇的當下張力關係和意義變遷。試引上文第一部分再重新細讀:

> 匹似「屈」即「曲」也,而「委屈」與「委曲」邈若河漢。「詞」即「言」也,而「微詞」與「微言」判同燕越。「軍」即「兵」也,而「兵法」與「軍法」大相逕庭。「年」即「歲」也,而「棄十五年之妻」與「棄十五歲之妻」老少懸殊。「歸」與「回」一揆,而言春之去來,「春歸」與「春回」反。「上」與「下」相待,而言物之墮落,「地上」與「地下」同。
>
> 「心」、「性」無殊也,故重言曰:「明心見性」;然「喪失人心」謂不得其在於人者也,而「喪失人性」則謂全亡其在於己者矣。「何如」、「如何」無殊也,故「不去如何」猶「不去何如」,均商詢去抑不去耳;然「何如不去」則不當去而勸止莫去也,「如何不去」則當去而責怪未去矣。苟蓄憤而訴「滿腹委曲」,學道而稱「探索微詞」,處刑而判「兵法從事」,讀「棄十五年之妻」而以為婚未成年之婦,詠「春歸何處」而以為春來卻尚無春色,見「落在地下」而以為當是瀉地即入之水銀,解「獨夫喪失人心」為「喪心病

狂」、「失心瘋」，視「不去如何」，「如何不去」渾無分
別；夫夫也不謂之辨文識字不可，而通文理、曉詞令猶未許在。

　　細審作者的運思路徑和分析意謂，其實就是在不斷告訴讀者，
一旦進入敘述的語句關係語境，同義**字**可生異義**詞**，反義**字**可生同義
**詞**，同義**詞**更可生異義**句**。字詞句之間的關係是一種不斷碰撞的動態
生成關係，看似難解的同異關係語義困境，由此可以尋到其間的某種
內在生成機制，從而有必要建立起一套「字←→句←→篇」的循環理
解模式。錢氏告訴我們，並非只有西洋學人才意識到這一點，明清之
際的中國學者早已擅長此道，試再引上文第二部分細讀：

> 乾嘉「樸學」教人，必知字之詁，而後識句之意，識句
> 之意，而後通全篇之義，進而窺全書之指。雖然，是
> 特一邊耳，亦只初桄耳。復須解全篇之義乃至全書之指
> （「志」），庶得以定某句之意（「詞」），解全句之意，
> 庶得以定某字之詁（「文」）；或並須曉會作者立言之宗
> 尚、當時流行之文風、以及修詞異宜之著述體裁，方概知全
> 篇或全書之指歸。積小以明大，而又舉大以貫小；推末以至
> 本，而又探本以窮末；交互往復，庶幾乎義解圓足而免於偏
> 枯，所謂「闡釋之循環」（der hermeneutische Zirkel）者是
> 矣。〔……〕《鬼谷子・反應》篇不云乎：「以反求覆？」

並且就日常生活經驗而言，這種同與異、正與反的關係和理解從來都
是人類的基本智慧，是一種關於生命和社會讀解的相輔相成的意義關
係和理解結構。茲又引上文最後一部分細看便可一目了然：「正如自
省可以忖人，而觀人亦資自知；鑑古足佐明今，而察今亦裨識古；鳥
之兩翼、剪之雙刃，缺一孤行，未見其可。」

## 二　在理論與創作、文學與生活之間「打通」的論述邏輯

在確立意義動態生成與循環理解的同異關係認知結構、即所謂同異關係辯證法的同時，錢鍾書在命題論述和現象分析的過程中，則進一步實踐一種與眾不同的、獨特的「求打通」論述邏輯，尤其注意發揮本人充滿機趣的論述語言，不斷使得論題走向更深入和更廣闊的闡釋空間。

錢鍾書在給友人鄭朝宗的信中曾明確說過自己的學術方法就在於「求打通」。而當他將這一學術理念運用到具體研究實踐時，便形成了他獨具特色的論述和引證邏輯。

例如他在〈讀《拉奧孔》〉一文曾經重點分析了萊辛的著名見解，所謂「富於包孕的片刻」在中西文學實踐中的具體表現，文中第四節結尾特別提到了一種論述手法，名之為「回末起波」：

> 這種手法彷彿「引而不發躍如也」，「盤馬彎弓惜不發」。通俗文娛「說書」、「評彈」等長期運用它，無錫、蘇州等地鄉談所謂「賣關子」。《水滸》第五〇回白秀英「唱到務頭」，白玉喬「按喝」道：「我兒且回一回，……且走一遭，看官都待賞你！」；《說岳全傳》第一〇回大相國寺兩個說「評話」的人，一個「說到」八虎來到幽州，「就不說了」，另一個「說到」羅成把住山口，「就住了」，楊再興、羅成打開銀包，送給說書「先生」銀子。蔣士銓《忠雅堂詩集》卷八《京師樂府詞》之三《象聲》：「語入妙時卻停止，事當急處偏回翔。眾心未屬錢亂撒，殘局請終勢更張。」都是寫「賣關子」。十九世紀英國一部小小經典小

說也寫波斯「說話人」講故事，一到緊急關頭，便停下來（made a pause when the catastrophe drew near），說：「列位貴人聽客，請打開錢包吧！」（Now, my noble hearers, open your purses）萊辛講「富於包孕的片刻」，雖然是為造型藝術說法，但無意中也為文字藝術提供了一個有用的概念。「務頭」、「急處」、「關子」，往往正是萊辛、黑格爾所理解的那個「片刻」。（58）

僅從這段不長的論述，我們便可清晰地看出錢鍾書「以中國文學與外國文學打通，以中國詩文詞曲與小說打通」的詩學目標（鄭朝宗），在這兩個目標中，前者關注的是中西之打通，而後者則體現出一種力求打通各文類的努力。事實上，錢鍾書在著述中所追求的不僅僅是兩個方面的打通，而是多元全面的打通，在他的著述中，圍繞一個命題，常常可見中西理論之間、中外經典小說之間、經典小說與通俗文學之間、文學言述與街談巷語之間的多元對話和互補互證，一時間，可以讓黑格爾與王陽明、《巨人傳》與《水滸傳》、莎士比亞與中國戲曲彈唱、民間故事與成語俗講等都聚到一起，眾聲喧嘩，以證同理。

此類文字在錢氏著述中比比皆是，隨手可拾，不拘一格地呈現出作者在「古」與「今」、「雅」與「俗」、學科之間、學術論證與文學創作之間、文學與生活之間全面打通，並或隱或顯地力求完整呈現這幾類「打通」後意義開敞的學術追求。在許多時候作者還揮灑自如地運用本人充滿機趣和包容智慧的論述語言，再驅使論題不斷走向深入和無限新意的生長。《圍城》的讀者們一定都曾經為小說中的下述議論忍俊不禁：

三閭大學校長高松年是位老科學家。這「老」字的位置非常
為難，可以形容科學，也可以形容科學家。不幸的是，科學
家跟科學大不相同；科學家像酒，愈老愈可貴，而科學像女
人，老了便不值錢。將來國語文法發展完備，終有一天可以
明白地分開「老的科學家」和「老科學的家」，或者說「科
學老家」和「老科學家」。（202）

從這一連串的調侃中，難道我們沒有隱約領略到了些所謂意義循環的
裂隙和開啟意味嗎？

熟悉〈讀《拉奧孔》〉一文的讀者也都還記得他對比喻的創新
讀法：「譬如說：『他真像獅子』，『她簡直是朵鮮花』，言外的前
提是：『他不完全像獅子』，『她不就是鮮花』。假使他百分之百
地『像』一頭獅子，她貨真價實地『是』一朵鮮花，那兩句話就是
『驗明正身』的動植物分類，不成為比喻，因而也索然無味了」（45-
46）。

這也是在提醒人們，在同與異、是與非是、像與不像之間，所
謂意義的灰色地帶，存在著文學闡釋無盡的廣闊空間，我們切不可把
意義的關係看死了。更何況是在不同的文化和理解傳統之間的讀解差
異，有時候幾近乎天壤。在〈中國詩與中國畫〉一文中，錢鍾書就一
再強調說：

在中國詩裡算是「浪漫」的，和西洋詩相形之下，仍然是
「古典」的；在中國詩裡算是痛快的，比起西洋詩，仍然不
失為含蓄的。我們以為詞華夠鮮豔了，看慣紛紅駭綠的他們
還欣賞它的素淡；我們以為「直恁響喉嚨」了，聽慣大聲高
唱的他們祇覺得是低言軟語。（17）

　　當然，意識到打通之後所聞所見的複雜同異關係互補和轉化的不簡單，並不意味著一切都只是個相對的言說關係而已，在不同的文化和詩學之間，對於基本類同的現象和命題，因了文化傳統和慣性路徑的歷史差別，各自理解的深度和廣度仍然是大有區別的，並因此而構成了文學和而不同多元互補的豐富世界，這也正是比較研究的魅力所在。

　　至於他於〈中國固有的文學批評的一個特點〉一文中對人化批評的拈出和發明，一本正經地認真論述到後來，老先生也沒有忘記宕開一筆，將某些簡單化的分析和比較調侃一番，從而使得這一打通的論述邏輯，在意義旨歸上不僅沒有封閉成固化的理解，而是走向了更深廣的開敞。如其所言：

　　　　第二類西洋普通「文如其人」的理論，像畢豐（Buffon）所謂「學問材料皆身外物（hors de l'homme），惟文則本諸其人（le style est l'homme même）」，歌德所謂，「文章乃作者內心（innern）真正的印象（ein treuer abdruck）」，叔本華所謂「文章乃心靈的面貌（die Physiognomie des Geistes）」，跟我們此地所講人化，絕然是兩回事。第一，「文如其人」，並非「文如人」；「文章乃心靈的面貌」，並非人化文評的主張認為文章自身有它的面貌。第二，他們所謂人，是指人格人品，不過《文中子・事君篇》「文士之行可見」一節的意見，並不指人身。〔……〕而我們的文評直捷認為文筆自身就有氣骨神脈種種生命機能和構造。一切西洋談藝著作裡文如其人或因文觀人的說法，都絕對不是人化。（56）

　　以上，稍加例析展開，我們似可多少感受到錢鍾書比較詩學思想方法的學術深意和內在嚴謹邏輯結構。

　　錢氏著述涵蓋論文、專著、中外文筆記、小說、學術隨筆、散文等，洋洋數千萬言，雖無看似體制宏大的主義提倡和理論專書大構，也無唬人的系統理論主張，但是，隱藏在其眾多類著述背後以及潛藏在看似信手拈來的資料深處的學科思想和創造性方法學建構，雖是「隱於針鋒粟粒」，但是研究發掘出來卻終竟是「放而成山河大地」，其意義不可限量，值得今後下功夫去加以發掘和研究。而這種獨具創意的比較詩學方法論思想和研究範型，對於未來中國乃至世界比較詩學學科的發展和提升，也都絕不是可有可無的。*

二〇一三年四月十五日改於西二旗寓所

---

\* 　編按：錢鍾書遺墨，見書前圖版，頁三。

## 引用書目

《中國比較文學年鑒》。編：楊周翰、樂黛雲。北京：北京大學出版
　　　社，1987。

錢鍾書。《七綴集》。錢鍾書集，北京：三聯書店，2007。

———。〈中國固有的文學批評的一個特點〉。《人生邊上的邊上》。
　　　錢鍾書集。北京：三聯書店，2007。51-69。

———。〈中國詩與中國畫〉。錢鍾書，《七綴集》1-34。

———。《圍城》。北京：三聯書店，2002。

———。《管錐編》。第二版。冊一。北京：中華書局，1986。

———。〈讀《拉奧孔》〉。錢鍾書，《七綴集》35-65。

鄭朝宗：〈《管錐編》作者的自白〉，《人民日報》1987年3月16日。

# 海外漢學與比較文學
## 亞瑟·魏理的啟示

### 程章燦

　　海外漢學與比較文學有著天然的聯繫。首先，比較文學研究，無論是法國學派所奉行的「影響研究」，還是美國學派所提倡的「平行研究」，其根本意義是以世界文學為大背景，重新考察各國文學的特點以及彼此之間的關係。海外漢學家（或稱中國學家）由於置身中外文學之間，而自然而然地具有世界文學的大背景，這不僅使他們確立了比較文學研究者的基本立場，也為其研究確定獨特的視角，提供開闊的視野。其次，海外漢學家基於自身立場和語言文化優勢，比較關注「華裔（中華及其四裔）之學」，從有關中華及其四裔的研究，最終走向中外文學比較及中外文化關係的思考，順理成章。第三，海外漢學家扮演介紹轉述、溝通彼此的「譯者」角色，翻譯是其研究工作中最基礎、也是最核心的部分（這裡說的是廣義的翻譯，從文獻理解、文本闡釋到口頭或書面的表達，都離不開翻譯）。用一種語言／文化轉述另一種語言／文化，在兩種或多種語言和文化之間往還穿越。上述三種工作方式與特點，使得海外漢學家的研究工作與比較文學及比較文化研究有著天然的聯繫。

　　因此，研究中國文學的海外漢學家，儘管有種族身分（例如華裔與非華裔）、教育經歷（例如是否曾在東方尤其中國接受過教育）、

以及學術背景（例如研究方向與學科及其學派師承）等方面的多種差異，但是，由於經常出入兩種或多種語言與文學，容易激發比較文學的思考，卻是他們共同的特點。在近兩百年的發展歷程中，比較文學不止一次面臨著學科危機，過於狹隘易造成學科的僵化和萎縮，過於寬泛則易帶來學科界限的迷失。海外漢學家特有的研究思路與學術優勢，可以為比較文學「重裝上陣」提供重要資源。在這一方面，二十世紀英國著名漢學家和翻譯家亞瑟・魏理（Arthur D. Waley, 1889-1966）的獨特經歷和傑出成就，無疑是一個富有啟示的個案。

魏理並不是專門從事比較文學或比較文化研究的學者，但是，他具有相當自覺的比較文學和比較文化意識。與一般西方漢學家相比，魏理有其得天獨厚的條件。首先，大學時代，他就在劍橋大學國王學院接受過嚴格的西方古典學的專業教育，成績優異。除了西方古典語言拉丁文和希臘文之外，他還掌握歐洲現代語言法語、德語、義大利語、西班牙語、葡萄牙語、荷蘭語等，對西方文學涉獵廣泛，閱讀面之廣罕有人比。其次，他不僅精通中文和日文，還能閱讀蒙古文、阿伊努文和梵文等亞洲文字。他畢生從事東方古典文學（主要是中日兩國的古典文學）的翻譯與研究，對東方古典文學和文化涉獵甚廣，具有常人難以企及的開闊的文學文化視野。[1]這使他不僅能夠利用西方文學資源作為理解中國文學的重要參照，同時也能利用其亞洲文學修養，在東方文學內部進行比較參照。第三，魏理雖然終其一生，未曾踏足東方的土地，但他對東方文化的博覽、精研和感悟，使他有可能以開闊的胸襟、超脫的姿態來對待東方文化，對東方文學與文化懷有別樣的溫情，報以充分的敬意。

在魏理生前，燕卜孫（William Empson）就曾撰文稱讚魏理的謙

---

1　關於魏理的生平、教育背景及其譯著詳情，參看拙撰〈亞瑟・魏理年譜簡編〉。

謙君子之風（"Waley's Courtesy"；引自 Morris 78）。[2]在我看來，這不但是指其生活態度，也包括其文化態度。一九五六年，他撰寫了〈中國文獻所記安遜船隊到廣州〉（"Commodore Anson at Canton: A Chinese Account"）；一九五八年，他出版了《中國人眼中的鴉片戰爭》（The Opium War through Chinese Eyes）。一七四三年英國人喬治・安遜（George Anson）率領他的環球航行艦隊駛進廣州虎門以及一八四〇年的鴉片戰爭，是十八世紀和十九世紀中英關係史上的兩大事件。魏理「易地而處」，根據中國的文獻、從中國的立場來敘述、理解這兩大事件。這兩個例子說明，魏理已經在一定程度上擺脫西方中心主義的立場。同樣，他對待東方文學，與其說是站在西方文化立場，不如說是站在歌德所謂「世界文學」的立場（愛克曼 113-14）。

兼有漢學家、翻譯家和詩人身分的魏理，經常從比較文學的視角，思考中國文學尤其是中國詩歌的價值與特性。在《漢詩170首》（A Hundred and Seventy Chinese Poems）的〈前言〉中，魏理比較了中西文化和中西詩歌的不同。他認為，不同語言既有各自的特點，又有一些共同性，不同體式的詩歌正是在不同特性的語言的基礎上發展起來的。中國詩歌之所以走上句式整齊、聲律化的道路，與語言的特點密切相關。至於題材的不同，詩中自我表現的不同，愛情詩寫法的不同，則與文化的特點相關。在《詩經》英譯本（The Book of Songs）〈前言〉中，他也談到中西詩歌題材與意象的異同。他特別注意中國古代詩歌中的描寫與敘述。The Temple and Other Poems 這本譯文集

---

2　轉引自 Morris。值得注意的是，同書（Madly Singing in the Mountains: An Appreciation and Anthology of Arthur Waley）所收文章的第一篇，就是 Carmen Blacker 的 "The Intent of Courtesy"（〈謙謙君子的內涵〉）。在汗牛充棟的英語詞彙中，兩個人不約而同地選中了courtesy 這個詞來描述魏理，與其說是英雄所見略同，不如說是因為魏理的謙謙君子風度給人留下了深刻的印象。

中，收入不少中國辭賦作品，值得注意的是，魏理明確地把辭賦看作詩之一體，看作是自具特色的長篇描寫詩。這是他基於西方文學傳統尤其是英語詩歌傳統，而對中國文體作出的獨特理解與判斷。他的思考對我們理解辭賦文體、研究中西文類異同都有啟發。

　　魏理的比較文學思考是貫穿始終的。《漢詩170首》初版於一九一八年，是其早年的譯著，其中已有對中西詩歌體式的比較。到一九六五年，已經七十六歲高齡的魏理應約為《厄俄斯：詩歌中情人們黎明聚散主題之研探》（*Eos: An Enquiry into the Theme of Lovers' Meetings and Partings at Dawn in Poetry*）一書撰寫〈中國篇〉和〈日本篇〉（見 Hatto）。厄俄斯（Eos）是希臘神話中的黎明女神，本書從世界文學的角度出發，對各國詩歌中的晨歌（alba：一種以描寫情人們在黎明分別為主題的詩歌）進行比較研究。多年以後，哈佛大學著名漢學家兼比較文學家宇文所安教授（Stephen Owen）出版了《迷樓：詩與欲望的迷宮》（*Mi-Lou: Poetry and the Labyrinth of Desire*），可謂異曲同工，後先輝映，殊途同歸。

　　在譯介中國文學時，魏理根據其所持的世界文學觀點，建立了一套選擇與評價的標準。他對所翻譯的文學作品是有選擇的，這不僅指篇目的選擇，而且指對某些作品進行刪節，最顯著的例子是《西遊記》譯本的刪節。另外，他英譯中國詩歌以及辭賦作品時，經常根據自己的理解和譯本的需要，或者刪簡原題，或者乾脆另擬新題。改題甚至刪節，是為了使譯文能夠更自如地適應譯入語境，更容易產生好的傳播接受效果。例如，他翻譯的中國古詩〈上邪〉，改題 "Oath of Friendship"，這個題目包含了他對這首古詩經典的誤讀式的理解。此題在英語世界產生了很大影響，甚至出口轉內銷，被收入面向外國學生的英語學習教科書（Walker 22〔Unit 2〕）。在這本教科書中，本詩未標譯者名，亦未注明是譯詩，或許是認為此詩太有名，流傳太

廣，所以將其作為英詩作品來看待。

翻譯連同其中的改題與刪節，反映了譯者對作品的理解和闡釋，也可以說是一種再創造。這種利用外來文學資源而完成的文學再創造，可以成為文學創作的動力，甚至直接轉換為文學生產。魏理憑藉其英譯漢詩的成就，榮獲英國女王詩歌獎，這說明，他的英譯漢詩已被公認為二十世紀英語詩歌創作的一部分。他還借用白居易詩體來創作英語詩歌，借用中國志怪小說的形式來創作小說，知而能行，知行合一。通過他的轉介，中國文學進入英語世界，在保有異質文化之新奇的同時，又對英語讀者有一種特殊的親和感。經由他的譯介，中國古典詩歌在更大範圍上參與了二十世紀英語詩歌的進程，這是二十世紀中英文學關係中最值得關注的一筆。從經驗借鑒與資源再生角度來說，魏理的文學翻譯是成功的，他的經驗值得翻譯界和比較文學界思考和重視。

魏理關注詩歌，也關注小說以及歷史故事。在翻譯之餘，他寫了很多隨筆小品，看似通俗，實則小巧玲瓏，趣味盎然，舉重若輕。這類文章有〈萊布尼茲與伏羲〉（"Leibniz and Fu Hsi"）、〈道家布雷克〉（"Blake the Taoist"）、〈中國的灰姑娘故事〉（"The Chinese Cinderella Story"）、〈利瑪竇與董其昌〉（"Ricci and Tung Ch'i-Ch'ang"）等，還有〈遠東的幾段夢故事〉（"Some Far Eastern Dreams"）和〈關於鏡子的中國詩歌〉（"The Poetry of Chinese Mirrors"）。這些文章主要面向一般讀者，對古希臘、歐洲、日本之歷史典實信手拈來，相映成趣，博雅從容。這些文章不限於文學，而是旁涉思想文化，不限於簡單的異同對比，而是追溯原型流變，辨析文學文化層面的複雜關係，例證具體，闡述細密。例如〈中國的灰姑娘故事〉一篇就譯述分析《酉陽雜俎》中三段異文化來源的故事。魏理對《酉陽雜俎》情有獨鍾，正是因為此書富含「華裔之學」的材料，

可據以展開中西之間、東方各民族文化之間、乃至中國境內各族之間
文學的比較研究。如果說異同比較主要是側重現象層面，那麼，追蹤
文學文化關係則已進入專題研究的層次。

　　海外漢學是建立於中外文化比較基礎之上的學術研究，海外中國
文學研究則是建立在中外文學比較基礎之上的文學研究。從這一點上
說，魏理建立於中西比較文學與比較文化基礎之上的文學翻譯與漢學
研究，是為文學交流、文化融合與文明對話所作的重要的奠基工作，
對中國比較文學研究可以提供資源和方法兩方面的啟示。

# 引用書目

程章燦。〈亞瑟·魏理年譜簡編〉。《國際漢學》11（2004）：16-37。

愛克曼，輯錄。《歌德談話錄》。譯：朱光潛。北京：人民文學出版社，1978。

Blacker, Carmen. "The Intent of Courtesy." Morris 21-28.

Empson, William. "Waley's Courtesy." *New Statesman* 13 March 1964: 410.

Hatto, Arthur T. *Eos: An Enquiry into the Theme of Lovers' Meetings and Partings at Dawn in Poetry*. The Hague: Mouton and Company, 1965.

Morris, Ivan, ed. *Madly Singing in the Mountains: An Appreciation and Anthology of Arthur Waley*. New York: Walker and Company, 1970.

Owen, Stephen. *Mi-Lou: Poetry and the Labyrinth of Desire*. Cambridge, MA: Harvard UP, 1989.

Waley, Arthur. "Blake the Taoist." Morris 358-63.

——, trans. *The Book of Songs*. London: Allen and Unwin, 1937.

——. "The Chinese Cinderella Story." *Folk-Lore* 58 (1947): 226-38.

——. "Commodore Anson at Canton: A Chinese Account." *History Today* April 1956: 274-77.

——, trans. *A Hundred and Seventy Chinese Poems*. New York: Knopf, 1919.

——. "Leibniz and Fu Hsi." Morris 306-08.

——. *The Opium War through Chinese Eyes*. London: George Allen and Unwin, 1958.

——. "The Poetry of Chinese Mirrors." *The Secret History of the Mongols and Other Pieces*. London: Allen and Unwin, 1963. 71-77.

——. "Ricci and Tung Ch'i-Ch'ang." *Bulletin of the School of Oriental and African Studies* 2.2 (February 1922): 342-43.

——. "Some Far Eastern Dreams." Morris 364-71.

——, trans. *The Temple and Other Poems*. London: George Allen and Unwin, 1923.

Walker, Michael, ed. *New Horizons in English*. 3rd ed. Book 3. New York: Addison-Wesley, 1991.

# 魏理與中國文學的西傳

## 程章燦

　　魏理（Arthur D. Waley, 1889-1996）是二十世紀英國最著名的漢學家之一，是一個翻譯了許多中國文學作品與傳世經典的詩人型學者。在他之前，理雅各（James Legge）曾翻譯《詩經》、《左傳》等儒家典籍，翟理斯（Herbert A. Giles）也曾翻譯了不少中國詩歌和小說，但這些英譯作品在整個西方世界尤其是英語世界，影響力相當有限。魏理的譯介使英語世界對中國文學作品的接受與了解真正改觀。

　　魏理翻譯的中國詩歌，有中國第一部詩歌總集《詩經》（*The Book of Songs*）。歐美漢學界不止一種《詩經》英譯本，但魏理的譯本最為曉暢，最貼近英語世界的普通讀者，直到二○○三年仍有紐約一家出版社的重印本，足見其影響經久不衰。他的其他譯作，包括 *170 Chinese Poems*、*More Translation from the Chinese*、*Chinese Poems*、*The Temple and Other Poems* 等，也都多次重印，發行甚廣。魏理喜歡短篇小詩，也不廢長篇描寫詩，特別是那些描寫日常生活情趣、反映士人閑情逸致的詩篇。*The Temple and Other Poems* 一書中，收有魏理翻譯的許多辭賦作品。他認為賦是詩體的一種，應視為長篇描寫詩。 他還選譯了敦煌變文（Ballads and Stories from Tun-huang）。 總體來看，他選譯的中國古詩包括古體詩、近體詩、辭賦、敘事詩，這在某種程度上體現了他對中國詩歌的評價。 此外，魏

理還為李白、白居易、袁枚等三位詩人寫過傳記，書中翻譯了傳主的許多詩作。他對李白的個性風格並不特別欣賞，對李白詩評價也不很高。相比之下，他比較喜歡白居易和袁枚，尤其是白居易，翻譯白詩尤多。這與袁、白自由閑散的生活狀態比較容易引起當時英國知識分子的共鳴有關。

魏理翻譯的中國經典，包括《道德經》、《論語》、《九歌》、《西遊記》等，至今仍在重印流傳，前兩種影響尤大，不僅在西方有各種印本、轉譯本，在東方的日本以及中文世界也多次翻印轉譯。在翻譯諸書的同時，他對先秦思想、《九歌》與巫術的關係以及《西遊記》進行了研究，不僅在西方普及了中國文學知識，而且在學術界產生了一定影響。他還翻譯了另一部經典名著《蒙古秘史》，與眾不同的是，他把此書看作是一部文學作品，特別強調此書的文學性。

從總量上看，魏理翻譯的中國小說或敘事文學並不多，除了名著《西遊記》（*Monkey*）和《老殘遊記》（*The Wandering of Lau Ts'an*）片斷外，他還特別重視志怪故事。他認為，志怪故事中體現了中國文學獨特的想象，也保存了不同民族文學文化交流的痕跡，值得重視。魏理的短篇小說，*The King of the Dead*（《閻王》）及 *The Dragon Cup*（《龍杯》）等，皆採用志怪小說之體，富含中國文化因素。

總之，魏理所選譯的中國文學作品上起先秦，下至二十世紀初，時代跨度很大，體裁多種多樣。他的翻譯在西方尤其是英語世界廣為傳播，產生了前所未有的巨大影響。他的翻譯有以下突出的特點：

第一，重視經典，也重視非經典。魏理對中國文學的閱讀面很廣。在選擇譯介對象時，他既尊重歷史評價，也堅持以個人眼光與興趣作標準，因而往往有新的發現。在文學史中向來黯默無聞的東晉詩人湛方生，很早就受到魏理的關注和譯介。

第二，形式上採用自由體（free style）素體詩（blank verse），

使用跳躍韻律（sprung rhythm）。由於中英文固有的語言差異，英譯漢詩若要強求押韻，就不得不在一定程度上犧牲表意的準確，所以魏理決定採用自由體素體詩。跳躍韻律是由十九世紀英國詩人 G. M. Hopkins 首創的，最大特點是重讀音節數恒定，但出現的位置比較靈活，與抑揚格或揚抑格等固定的輕重音格式不同。魏理以此種韻律格式翻譯五七言詩，以五個重讀音節對應五言詩句，以七個重讀音節對應七言詩句，來表現原文的音律和形式特點。採取英語讀者所熟悉的韻律形式來翻譯中國古典詩歌，較易得到英語讀者的認同與喜愛。

第三，強調文學性與可讀性。為此，魏理有時並不拘泥原詩句式，而是根據詩意及譯文表現需要，對形式作相應調整。比較典型的例子是他翻譯的李煜《相見歡》，原文五句，譯文卻是十一句，添加了原作沒有的一些信息，譯文充滿詩意，膾炙人口。但如果沒有對應的中文，讀者有可能將其當做原創作品。魏理認為，《西遊記》中很多情節雷同，他在翻譯時作了一些刪削。從忠實於原作的角度來看，這種做法固然不妥，但就全書結構藝術而言，並沒有關鍵性的損失，所以亦無大礙。

第四，魏理不僅翻譯介紹中國文學，還模仿中國古典文學形式來進行文學創作。一九四〇年，他模仿白居易詩體創作 Censorship（檢查官）一詩，明確標明 "in Chinese style"，贈給當時在倫敦的中國記者兼作家蕭乾。一九四五年，他發表 Monkey: A New Chapter（《西遊記》新一回）》，在翻譯中刪削《西遊記》，卻又在創作中為《西遊記》補寫新回目，此一現象殊堪回味。值得注意的是，荷蘭漢學家高羅佩（ Robert Hans Van Gulik）創作《狄公案》，在魏理之後若干年，不排除受到魏理的啟發影響。

魏理譯介中國文學，之所以能產生前所未有的廣泛而深遠的影響，與他的特殊身分、社會關係網絡、傳播媒介以及其他主客觀因素

是分不開的。魏理出身於知識分子家庭。中學時代，他就讀於拉格比公學（Rugby School），一九〇七年進入劍橋大學國王學院，受到良好的西方古典學教育。他有非凡的語言天賦，掌握法語、德語、西班牙語、希伯來語、古希臘文、拉丁文等西方語文，還通曉漢語、日語、梵文、阿伊努文（日本一少數民族的語言）、蒙古文、古敘利亞文、古土耳其文等東方語文。他文學閱讀面廣，興趣廣泛，對東西方文學文化都多有涉獵。一九五八年，魏理出版了 *The Opium War through Chinese Eyes*（《中國人眼中的鴉片戰爭》）。他煞費苦心，參考了許多中國的史料文獻，著意以中國人的視角來描述這場中英關係史上最重要的戰爭，這是魏理與當時英國主流意識形態最為不同的地方，也是最可貴的地方。

魏理的成功與其社交網絡有著重要關係。他的交遊從不限於專業學術領域的學者，而且包括 Ezra Pound、Lawrence Binyon、Roger Fry、T. S. Eliot、B. Russell、V. Woolf、W. B. Yeats、Clive Bell 等英國文學文化圈內的重量級人物，這為魏理譯作在讀書界和知識界產生影響發揮了積極推動作用。

從傳播媒介上看，魏理的譯作既發表在專業漢學刊物上，也刊載於當時發行量較大的報紙（如 *Times Literary Supplement*，簡稱 TLS）、文學雜誌與知識分子刊物上，這使他的影響力超越漢學界，擴展至整個文學界和文化領域。例如，他的譯詩曾刊登在龐德主編的文學刊物 *Little Review* 上，他的創作也出現於 *New Statesman*（英國知識分子雜誌）和 *Burlington Magazine*（英國藝術雜誌）。魏理還曾面向一般讀者撰稿，比如為 BBC 聽眾撰寫廣播稿。另一方面，他的譯作大多數固定由倫敦 George Allen & Unwin Ltd. 出版發行，這一穩定的合作關係有助於人們持續定向地關注魏理的譯作。他的作品被介紹至美國，不但 Stanford University Press 等大學出版社發行他的書籍，

Alfred A. Knopf、Grove 等商業出版社也出版他的作品，說明其譯作兼具學術影響與市場潛力。實際上，不僅他身邊的友人受其影響，在其作品中加入中國題材或突出東方元素；他在倫敦大學指導過的學生，以及受其作品影響而走上漢學研究道路的年輕人，有很多後來成為英美漢學界的重要人物。

魏理英譯漢詩取得很好的傳播效果。從廣度上看，一九一八年，魏理第一部譯詩集 *170 Chinese Poems* 甫一出版，就受到 TLS 的好評，此後重版十餘次。德國戲劇家布萊希特（Bertolt Brecht）改譯其中六首，並在其劇作《四川好人》（*Der gute Mensch von Sezuan*）中借用魏理所譯的白居易《新制綾襖初成感而有詠》一詩。此外，魏理的譯詩有近二十首被各家譜成樂曲演唱或演奏，還被譯為包括日語在內的其他語言。從高度上看，早在一九二七年，魏理譯作就被視為二十世紀的英語詩作，編入 *The Augustan Books of English Poetry*（《盛世英語詩歌集》，London：Ernst Benn Ltd.），這是對魏理譯作藝術成就的高度肯定。他的譯作進而被選入多種英語詩歌的經典選本，並於一九五三年獲得了許多詩人夢寐以求的英國女王詩歌勳章，代表英語文學界尤其詩歌界對其譯作的高度評價。從深度上看，魏理譯作為很多英語詩人帶來了文學靈感。他不僅影響了龐德、艾略特等人，也影響了一九五〇年代舊金山詩歌運動的主將施奈德（Gary Snyder）等人的創作。

作為東西文學之間的紐帶，魏理所從事的翻譯與介紹工作，使得原本對於西方讀者來說艱深而神秘的中國文學作品，能夠為一般讀者所閱讀、理解和接受。在中國文學與西方讀者之間，魏理是一座橋樑，一座重要的文學與文化交往的橋樑。他將東方文學譯介到西方，若干年後，這些已然成為經典的譯作，甚至從西方返回東方，出口轉內銷，成為中國讀者閱讀和學習的文本。魏理翻譯的一些中國文學作

品，又作為雙語讀物被介紹回中國本土，比如外研社就曾引進出版了
魏理所譯的 *Analects of Confucius* 與 *Tao Te Ching*。不僅在中國大陸，
在香港和臺灣，也出版了不少魏理的譯作。這堪稱是中西文學交流與
傳播史上的一段佳話。

孟爾康之遺產

# 孟爾康與中文世界的比較文學

## 樂黛雲

　　二十年來，孟爾康教授一直是中國比較文學的好朋友和引路人，他和中國比較文學的前輩學者如楊周翰、王佐良等一直保持著深摯的友誼。一九八三年，他作為美方比較文學代表團團長，與錢鍾書、王佐良等共同組織了在北京召開的第一屆中美比較文學雙邊會議。孟爾康教授在大會閉幕式上深情地說：「這次參加會議像《西遊記》所寫的一樣，我們『東遊』帶回了經典。」他在發言中引述西方的一句諺語說：「『燈塔腳下永遠是黑暗的』……只研究自己國家的文學遠遠不夠，需要另一座『燈塔』來照亮。中國的燈塔給我們帶來了光明。」他提交的論文《比較詩學：比較文學的幾個理論問題和方法論問題》對中國比較文學初期的發展有很大助益。一九八五年，他興致勃勃地趕到深圳參加了由三十六個大學和科研單位共同組建的中國比較文學學會成立大會暨第一屆國際學術討論會，他代表美國比較文學學會宣讀了熱情洋溢的賀信，賀信指出：「比較文學研究至少有三種職能：1，它把我們從個別國家傳統的狹窄天地裡解放出來，使我們認識其他傳統的多樣性以及它們取之不盡，用之不竭的財富；2，在我們已經掌握了文學錯綜複雜的整體後引導我們思考文學的根本特性；3，它使我們更深刻地認識本土文學的獨特以及它與全人類所共

有的想像力的成果的聯繫，然後返回到本土的文學上去。[1]」他在賀信中提到的這三點，很久以來一直是中國比較文學前進的方向。

此後，孟爾康教授大力籌備第二屆中美比較文學雙邊會議。一九八七年，這次會議由他主持，在普林斯頓大學、印地安那大學、加州大學三地召開，為中國學者與美國學者的廣泛接觸，提供了極好的機會。回北京後，在孟爾康教授的支持和鼓舞下，楊周翰先生和我主編了大會論文集 *Literatures, Histories, Literary Histories* 一書。這本書蒐集了到會的許多著名學者的論文，提出了一些新的問題，要目如下：

Earl Miner "Literatures, Histories, Literary Histories"

Stephen Owen "Ruined Estates: Literary History and the Poetry of Eden"

Wang Zuoliang "Literary History: Another Tradition"

Peter H. Lee "Ideology and Korean History"

Yang Zhouhan "Fictionality in Historical Narrative: Different Interpretations"

Yue Daiyun "The Transformation of Narrative Modes from Traditional to Modern Chinese Fiction"

Eugene Eoyang "The Maladjusted Messenger: Rezeptionasthetik in Translation"

Zhang Longxi "The Myth of the Other: China in the Eyes of the West"

Pauline Yu "Cultural Filtration and Classical Chinese Poetry"

---

1　《中國比較文學年鑒》，北京大學出版社1986年出版。

Andrew H.Plaks "Where the Lines Meet: Parallelism in Chinese and Western Literature"

Sun Jingyao "Resource and Tradition"

這本書於一九九〇年由遼寧大學出版社以英語出版，是該校以英語出版的第一批書籍。可惜由於一九八九年的政治風波，學風驟轉，這本書並沒有產生應有的影響，如今在國內已很難找到，但在美國哈佛大學等著名大學的圖書館卻仍有收藏，它始終見證著孟爾康教授與中國比較文學的歷史淵源和友誼。

一九八九年春，孟爾康教授還親自與楊周翰、王佐良等教授策劃了預計一九九〇年在北京召開的第三屆中美比較文學雙邊會議，他們決定這次會議作為前兩次會議的繼承和發展，著重以抒情和敘述為核心，討論多種文學、多種文學理論和多種文學史的關係問題。然而，一九八九年風波驟起，中國學術界與西方學術界幾乎斷了往來。楊周翰先生也在這一年遽爾辭世！當時正擔任國際比較文學學會會長的孟爾康教授懷著無盡的遺憾和哀思立即發來唁電，唁電的標題是「我將永遠帶著崇敬和熱愛來懷念楊周翰先生」，長達三頁的唁電充滿深情，十分感人，電文最後說：

"At the time of his death, he was the first Chinese to be a vice president of the International Comparative Literature Association, where he was prized for his many outstanding merits by the rest of the Executive Council. How remote, how lifeless this account is compared to the man himself ! ... All I can finally say is that , like others, I shall always think of Zhouhan with admiration and love. " [2]

---

2　見《面向世界——紀念楊周翰教授專輯》貴州人民出版社，1990年第15頁。

　　十年過去了，孟爾康教授的代表作，《比較詩學：文學理論的跨文化研究札記》終於由北京大學畢業的兩位博士譯成中文，作為「國家九五重點圖書」，由中央編譯出版社出版。翻開扉頁，赫然在目的是三行大字：

　　「謹以此書中文版獻給楊周翰與王佐良教授──我心中不滅的記憶」
　　　　　　　　　　　　　　　　　　　　　　　　　　　──孟爾康

譯者王宇根、宋偉傑都曾是北大比較文學研究所的博士生。孟爾康教授特別重視對年輕一代的培養，凡是我們推薦的學生，他都非常認真地考慮。

　　現在，孟爾康教授已隨楊周翰、王佐良教授仙逝多年！但人們不會忘記前賢的功勳，此次兩岸清華大學在臺北舉辦的「漢學與比較文學」兩岸高峰會，內有紀念孟爾康教授的專題，我因身體原因雖不能至，卻衷心祝賀會議成功。我相信三位教授在上帝的茶座上快樂地相聚時，一定會談起我們，談起這次會議，但願他們對比較文學在中國的發展不至於太不滿意。

# 孟而康與比較詩學的超越

### 王寧

　　孟而康（Earl Miner, 1927-2004；又譯厄爾・邁納）這個名字如果不在括弧中注明其英文原文，也許會被誤認為是一位中國學者，確實，在中文的語境下，知道這個名字的並不多。但是在英語世界的比較文學界乃至整個國際比較文學界，他卻是一個鼎鼎大名。雖然他並不能算是一位漢學家，但「孟而康」這個名字卻是他自己認定的中文名字，而且他親自為自己著作的中譯本撰寫了序言，以表達他對中國文化和文學的熱愛以及對已故中國朋友的緬懷。因此他討論比較詩學問題，自然有著廣闊的跨文化視野。孟而康不僅在日本文學方面造詣深厚，同時對彌爾頓也頗有研究，曾出任美國彌爾頓學會會長，並擔任過國際比較文學協會主席。他在比較文學方面的代表性著作是《比較詩學：文學理論的跨文化研究箚記》（*Comparative Poetics:An Intercultural Essay on Theories of Literature*,1990）。這部著作自上世紀九〇年代初問世以來即被譯成義大利文和德文，中譯本也幾經周折於九〇年代末問世。今天，在跨文化研究已成現實的語境下重讀這部著作，不禁使我倍感親切。

　　我和孟而康最早相識是在一九九一年舉行的第十三屆國際比較文學協會年會（東京）上，當時他作為國際比較文學協會主席同時用英文、法文和日文致了開幕詞，給與會的全體聽眾留下了深刻的印象。

但那時我們並沒有機會交談。在一九九四年加拿大阿爾伯特大學舉行的
國際比較文學協會年會以及一九九七年荷蘭萊頓大學舉行的年會上，我
們曾有過短暫的接觸，但卻感到似乎神交已久：我們一起回憶了他和中
國比較文學學者楊周翰和王佐良等人的交往，他希望我在訪美時去他所
任教的普林斯頓大學演講，我也很想邀請他來我曾任教的大學演講，但
我們的願望最終還是未能實現。在此後的幾次國際比較文學年會上，我
突然發現這個熟悉的身影不見了，後來我才知道他身體一直不佳，直到
二〇〇四年在家中去世。他的早逝是國際比較文學界的一個重大損失，
同時也給我們的比較詩學研究留下了無盡的遺憾。今天，在我們討論比
較文學和漢學時，重溫孟而康的《比較詩學》，不禁感到其意義猶在。

　　談到比較詩學，我們很快就會想到亞里斯多德的不朽著作《詩
學》，但是亞里斯多德從文學作品中得出的結論主要是基於他對西方
文學的閱讀和理解，而且集中討論的是古希臘悲劇和喜劇，後來的歷
代西方文論家不斷從亞氏的理論出發，發展或修正他對詩學的思考和
定義，並逐步用意義更為寬泛的文學理論來取代它。進入二十一世紀
以來，面對文化研究的衝擊，傳統的文學理論逐漸呈萎縮之勢，諸如
「美學」和「詩學」這樣一些注重文學形式的術語逐漸淡出了批評的
理論話語，代之以「批評理論」、「文化理論」或乾脆「理論」，頻
繁地出現在各種學術研討會和學術期刊上。就連比較文學這門曾經的
新興學科也被文化研究擠到了邊緣，好在美國的比較文學學者迅速作
了調整，使得比較文學與文化研究得以相互交融乃至對話。但是在比
較文學領域內討論詩學問題仍顯得「不合時宜」。既然孟而康的這部
著作名為《比較詩學》，也即既涉及比較文學、又討論詩學問題，自
然也就淹沒在文化研究和各種新理論話語的汪洋大海之中了。

　　在今天的全球化時代，一些不滿於西方中心主義的學界有識之士
鼓吹跨文化的比較研究，從而使我們想起孟而康這位率先致力於跨東

西方文化的比較文學和比較詩學研究的先驅者，以及他的這部舊著所作出的開拓性貢獻。我們今天重讀這部舊著，當然不能重複孟而康的觀點，而是要在他已有的研究基礎上結合文學理論的最新發展有所超越。那麼究竟應該在哪一個層面上有所超越呢？孟而康的這部著作的兩個關鍵字恰好涵蓋了我們所要進行討論的兩個方面。

首先應在詩學的層面上有所超越。所謂詩學就是文學理論，而比較詩學實際上就是從比較的視角出發對文學理論的一些根本問題進行研究和探討。但是長期以來，亞里斯多德對詩學的定義和描述一直被奉為經典和不可顛覆的金科玉律。儘管亞氏之後的各種批評理論超越其模仿論，將其擴展到了實用論、表現論和客觀論的層面，而且艾布拉姆斯（M. H. Abrams）也在自己的著作中對各種批評理論作了梳理和總結，但所依據的作品仍來自西方文化傳統。興起於上世紀八〇、九〇年代的新歷史主義的一個變體被稱作「文化詩學」，但所致力於建構的這種文化詩學只是將文學的領地拓寬了，並沒有超越西方的文化語境。因此孟而康清楚地知道，要想從根本上動搖這一有著西方中心主義觀念的詩學之定義，那就得走出西方文化傳統，進入到一個更為廣闊的跨文化語境。在這方面，孟而康基於自己淵博的東西方文學知識和深厚的東西方文化和美學造詣，得出了自己的真知灼見，對於我們從一個跨東西方文化的視角重新認識詩學的內涵提供了重要的理論依據。

既然孟而康的這本書名為《比較詩學》，那麼也許人們會進一步問道，究竟什麼是比較詩學呢？孟而康對此有著比較清晰的界定，他認為，「一個學術領域，就像一個家族，對其界定可從整體特徵著眼，也可以從具體組成部分入手。比較詩學兼屬詩學與比較文學兩大家族。像其他跨文化研究一樣，是個新生事物，方興未艾」（邁納342；以下引文均出自此中譯本）。而他寫作該書的目的就是要打破長期以來的西方中心主義藩籬，在一個廣闊的東西方文學比較研究的語

境下提出一些具有普世標準和價值的美學和詩學原則。應該說，通過他的旁徵博引和詳細論證，他的目的已經基本達到了。正如他在該書緒論中所指出的，「本書的主要論點是：當一個或幾個有洞察力的批評家根據當時最崇尚的文類來定義文學的本質和地位時，一種原創詩學就發展起來了」（7）。針對長期以來佔據歐美比較文學界的西方中心主義思維模式，孟而康問道，「然而，我們的『比較文學』為什麼就該缺乏一種東半球和南半球的視野呢？」（28）。

儘管孟而康並非把目光轉向東方的比較文學研究的第一人，但可以說，他對跨文化的比較詩學的全面探討卻超越了在他以前的艾金博勒（René Étiemble）、佛克馬（Douwe Fokkema）和劉若愚，進入了總體文學（論）研究的境地，這顯然與當今的世界文學話題比較接近。關於這一點我下面還要討論。眾所周知，在他以前的法國學者艾金博勒、荷蘭學者佛克馬和華裔美國學者劉若愚都是傑出的漢學家和比較文學學者，他們以其中國文學和文論研究的實績為國際比較文學界帶來了一股新風，特別是劉若愚借鑒艾布拉姆斯的文學四要素並將其用於中國文學理論建構的嘗試，已經接近比較詩學的境地。而孟而康則在他們的基礎之上又綜合了中國和印度的經驗並引進了日本文學的範例，從而真正達到了跨文化的比較詩學研究的境地。

通過這種跨文化的綜合考察，孟而康發現，從文類的視角出發有可能對以往的詩學成規提出修正性的意見，因此照他看來，「只有西方這一種文學體系是建立在戲劇之上，其他體系皆基於抒情詩（印度詩學同基於抒情詩的詩學體系一樣，根據情感——表現詩學來界定）」（333）。這一特徵貫穿於兩千多年來的東西方文學史上。但是孟而康並非一位專注文學史的學者，他更注重理論分析，他認為，「歷史和理論上的嚴謹必不可少，但老實說，我不能忽略以下兩點：以歷史為基礎的『比較』常常發現的是細節的相似與差異；從理論出

發的『比較』則又常常是作出毫無新意的相同結論」（336）。他認為，跨文化的取證尤為重要，通過這種將東西方文學作品放在一個廣闊的跨文化視野下來考察，可以得出令人信服的結論，因此在他看，「總的來說，中國傾向於道德層面而日本則更著意於非道德說教的情感主義」（338），而作為比較文學學者，我們應該作出自己的選擇。這是孟而康在寫完全書時所作的總結。應該說他的這番總結仍然停留在比較文學（論）的平行研究層面上，並未上升到自覺的理論建構之高度，而這正是我們所要說的比較詩學的超越。

誠然，在當前的世界文學研究中，不少學者已經自覺地將世界文學研究與文學經典的重構和文學史的重寫結合在一起（Moretti；Damrosch；Wang），並試圖在這方面有所突破。但我認為這還不夠，如果我們讀完孟而康這部著作，也許會受其啟發，並將其用於建構一種世界詩學或世界文論。當然對世界文論的建構顯然不是本文的任務，但我這裡僅簡單作一描繪，並強調，世界詩學或世界文論這個話題的提出，旨在建構一種具有普世準則和共同美學原則的世界性的文學理論（Zhang），它既非始自單一的西方文學，也非建基於單一的東方文學，更不是東西方文學理論的簡單相加，而是基於對世界優秀的文學和理論話語的研究所建構出來的一種既可以用於解釋西方文學現象、同時也可用於解釋東方文學以及世界文學現象的闡釋理論。應該說，這正是我們後來的學者所要對孟而康的比較詩學研究的超越。對此我將另文專論。

# 引用書目

邁納・厄爾。《比較詩學：文學理論的跨文化研究箚記》。譯：王宇
　　根、宋偉傑等，北京：中央編譯出版社，1998。

Damrosch, David. *What Is World Literature?* Princeton: Princeton UP,
　　2003.

Eagleton, Terry. *After Theory*. London: Penguin, 2004.

Miner, Earl. *Comparative Poetics: An Intercultural Essay on Theories of
　　Literature*. Princeton: Princeton UP, 1990.

Moretti, Franco. "Conjectures on World Literature." *New Left Review* 1
　　(January-February 2000): 54-68.

Wang, Ning. "World Literature and the Dynamic Function of Translation."
　　*Modern Language Quarterly* 71.1 (2010): 1-14.

Zhang, Longxi. "Poetics and World Literature." *Neohelicon* 38.2 (2011):
　　319-27.

# 孟爾康漢學遺產的比較文學脈絡

## 陳玨

在西方世界，孟爾康（Earl Miner, 1927-2004）是二十世紀末葉眾所周知的比較文學界領袖人物之一，其主要貢獻在於以普林斯頓大學為中心，三十年如一日，推動和開拓東亞（以中、日為主）文學與西方文學的比較研究，影響廣大。令人遺憾的是，「不識廬山真面目，只緣身在此山中」，孟爾康這方面的貢獻，在中文世界的學術圈子中，反若明若暗，較少為人所知。更加鮮為人知的是，孟爾康還在身後留下了一大筆「漢學」遺產，值得整理和研究。

下文便從頭談起。首先，需要從二十世紀末葉歐美的東西比較文學界發展大勢的脈絡，來回顧孟爾康在其中的位置和貢獻。在西方，東西比較文學是一股在二十世紀七十年代前後方才興起的學術潮流，對當時國際比較文學界「歐洲中心」的主流，構成一種從「邊緣」發起的挑戰。按照傳統的標準，任何一位大學的文學教授要獲得「比較學家」（comparatist）的基本學術資格，至少需先是兩種國別文學以上的專門家。雖然歌德在一八二七年已經明確提出了名聞遐邇的「世界文學」（Weltliteratur）的概念（而在十九世紀西方人的心目中，「世界文學」中的「世界」基本上還只是歐洲，即使納入東方文學，重點也在翻譯成西文的東方文學作品在歐洲的接受），直到二次大戰前後，西方比較文學界所謂的國別文學仍大都是歐美各國的文學，亞洲的中

國文學、印度文學、日本文學等等往往被認為太過「邊緣」，而不在其內。這段去今未遠、「歐洲中心」的歷史，學術界仍耳熟能詳。

從比較文學史的角度看，當年以「障百川而東之，挽狂瀾於既倒」的魄力，經過超過四分之一個世紀的持續推動，使這種「歐洲中心」的主流，開始轉向「亞洲世界」的重要人物，正是法國安田樸（René Étiemble, 1909-2002）、荷蘭佛克瑪（Douwe Fokkema, 1931-2011）和美國孟爾康「三巨頭」。特別值得提到的是，其中後兩位——佛克瑪和孟爾康——從上世紀的八十年代中到九十年代初，先後都擔任過國際比較文學學會（International Comparative Literature Association，亦即 ICLA）的會長，而在兩人前後銜接的多年任期中，正是東西比較文學的潮流在國際比較文學學會的框架內，從「體制外」轉向「體制內」的關鍵的歷史時段。本文限於篇幅，無法多談安田樸和佛克瑪，只能將其置於背景的脈絡中，重點討論孟爾康。

作為專門家，孟爾康從英國文學和日本古典文學的研究，開始其波瀾壯闊的學術生涯，兩方面均有引人矚目的成績，著作等身（編著的專書超過三十種）。在英國文學方面，他畢生研究密爾頓（John Milton,1608-1674）和十八世紀文學（連接十七世紀和十九世紀），包括德萊登（John Dryden, 1631-1700）和約翰遜（Samuel Johnson, 1709-1784）等名家在內（見氏著 *Paradise Lost; Restoration Mode*）。孟爾康在英國文學史該兩個領域內的貢獻，使他先後獲選為美國密爾頓學會（Milton Society of America）會長和十八世紀研究會（American Society for 18th Century Studies）會長，引領行內的潮流。在日本古典文學方面，他也是戰後美國學術界該領域最重要的學者之一，早期在普林斯頓、加州柏克萊和史丹福大學出版社連續出版的多種研究日本宮廷詩、詩體日記、連歌和俳句的著作（*Introduction; Japanese Poetic Diaries; Japanese Linked Poetry*），為戰後英語世界的日本古典文學

研究設立了標竿，而其所領銜主編的《普林斯頓日本古典文學便覽》
（*The Princeton Companion to Classical Japanese Literature*），在初版近
三十年後的今天，仍然是同類參考書中的「經典」。

　　在西方文學和日本文學的比較研究方面，孟爾康也有在戰後開
啟先河的功勞，我在此僅舉出其早期和晚期的各一部專書和中期的一
部編著為例，以見一斑。孟爾康的《英美文學中的日本傳統》（*The
Japanese Tradition in British and American Literature*）一書，是戰後西
方學術界開始關注英美文學名著中的「日本影響」的里程碑式的著
作，上世紀五十年代由普林斯頓大學出版社出版後，次年即譯為日
文，在東京名聞遐邇的筑摩書房推出，可見其對當時剛剛露出地平線
的跨太平洋兩岸的東西比較文學界而言，有「震盪」意義。當然，
英美和日本之間的跨文化影響，從來都不是單向的，孟爾康主編的
《英語文評在日本：日本年輕學者論英美文學》（*English Criticism
in Japan: Essays by Younger Japanese Scholars on English and American
Literature*）一書，即意在雙向呈現這種複雜的影響。孟爾康先精選
從喬叟（Geoffrey Chaucer, 1340-1400）到艾略特（T. S. Eliot, 1888-
1965）共十二位英美文學史上的代表性名家，再精選十五位日本各大
學中有代表性的助教授，收入他們交錯研究這十二位英美文學名家的
學術論文，而編成該書。孟爾康選擇作者的標準有兩條：這些助教授
的年齡均需低於四十歲，而且不能從英語國家的大學中獲得過博士學
位，也不能在英語國家的大學中擔任過教職，以確保其天然具有日本
「在地」的「文化視野」。這樣設計的目的，是為了能從此書中真正
看出日本新一代的學人如何透過在地文化的「過濾」，來接受和理解
英美文學史上的一流名家和名篇，從而使英美本土的相關領域專家，
也能從這些「他山之石」中，得到意想不到的收穫，擁有跨文化的
「接受美學」的意味和價值。此書在上世紀七十年代的東京大學出版

社問世，從內容到裝幀都可以和美國一流大學出版社的學術專書比
美，曾經在東西比較文學的交流中，發揮過重要的作用。如果說，
以上兩書都與「影響研究」和「接受美學」有關，孟爾康在上世紀
九十年代出版的《命名：松尾芭蕉、河合曾良、約翰遜與鮑斯威爾行
旅文字中的「名」》（*Naming Properties: Nominal Reference in Travel
Writings by Bashō and Sora, Johnson and Boswell*）一書，則展開十七
世紀日本的松尾芭蕉（1644-1694）、河合曾良（1649-1710）和十八
世紀英國的約翰遜、鮑斯威爾（James Boswell,1740-1790）之間的跨
文化「平行研究」，手法爐火純青，十分精妙，可謂「晚歲漸於詩律
細」。總而言之，孟爾康「兩腳踏東西文化，一心寫宇宙文章」，近
半個世紀如一日，成為二十世紀國際間引領潮流的東西比較文學家，
事非偶然，無怪乎在上世紀九十年代獲得日本政府頒發「旭日勳章」
的殊榮。

　　孟爾康的以上貢獻，使他眾望所歸，在二十世紀八十年代末當選
為國際比較文學學會會長。進入上世紀九十年代，孟爾康努力建構一
種跨越東西方文化傳統的「比較詩學」，成果集結為其所著的《比較
詩學：文學理論的跨文化綜論》（*Comparative Poetics: An Intercultural
Essay on Theories of Literature*）和參與編輯的《新訂普林斯頓詩與詩
學百科全書》（*The New Princeton Encyclopedia of Poetry and Poetics*）
二書，對未來導向東西方文化進一步融合的全球性詩學的探索，有不
可磨滅的意義。

　　孟爾康精通日文，但不精通中文，並不是一個漢學家，然而他
在東西比較文學和跨文化詩學領域的領導地位，使之不由自主介入漢
學，並不期然留下一大筆漢學的遺產。這在二十世紀漢學史上，也是
一個僅見的特例，極值得研究者注意。筆者曾談到，橫看成嶺側成
峰，漢學與比較文學，互相包容。往往在漢學界看來，比較文學是漢

學的一部分，在比較文學界看來，漢學卻是比較文學的一部分。今天
的中西比較文學，無論在美國、在臺灣還是在大陸，都已經蔚為大
觀，而在上世紀的後半葉，它剛剛開始萌芽，作為東西比較文學的一
部分，不僅在當時「歐洲中心論」占主導地位的西方比較文學界屬於
邊緣的支流，而且在漢學界也鮮有人重視，可謂「附庸」，很需要有
「正統」地位的主流學界的領袖人物來支持與推動這一「小荷才露尖
尖角」的學術事業。

　　普林斯頓是戰後西方的漢學重鎮之一，其比較文學系從創立伊
始，便結合漢學，重視中西比較文學的推展。普林斯頓比較文學系第
一位博士學位的授予者，正是後來美國的中西比較文學界健將葉維廉
（亦曾獲選為臺灣十大詩人之一）。孟爾康在普林斯頓主持東西比
較文學的「學政」三十年，不僅重視日、西比較，而且重視中、西
比較，將比較文學融入漢學，又將漢學融入比較文學。他三十年如
一日，協助漢學名家高友工和浦安迪（Andrew Plaks）指導了來自美
國、臺灣、香港和大陸的約二十名中國文學領域的研究生，如今大多
成為美國和世界各地主流大學的名教授，包括布朗大學前東亞系主任
李德瑞（Dore Levy，來自美國），耶魯大學講座教授孫康宜（來自
臺灣），哈佛大學教授李惠儀（來自香港）和伊利諾大學教授蔡宗齊
（來自大陸）等在內，可見所謂有教無類，「千里馬常有，而伯樂不
常有」。孟爾康留下的這筆有比較文學脈絡的漢學遺產，現在已經到
應該整理的時候了。

　　在孟爾康協助高友工和浦安迪指導的眾多普林斯頓同門中，筆者
入門也晚，是他的「關山門」弟子。筆者近年主持國立清華大學「新漢
學與世界文學視野中的二十世紀中國文學」兩岸清華合作研究計畫，
規劃在未來召開「孟爾康的遺產：比較文學與新漢學的跨世紀視野」

國際研討會（暫名），以作為整理這種遺產的一個開始。在此藉《中外文學》寶貴篇幅，先略述孟爾康漢學遺產中的比較文學脈絡云爾。*

* 編按：孟爾康先生照，見書前圖版，頁四。

# 引用書目

Earl Miner. *Comparative Poetics: An Intercultural Essay on Theories of Literature.* Princeton: Princeton UP, 1990.

———, ed. *English Criticism in Japan: Essays by Younger Japanese Scholars on English and American Literature.* Tokyo: U of Tokyo P, 1972.

———. *An Introduction to Japanese Court Poetry.* Stanford: Stanford UP, 1968.

———. *Japanese Linked Poetry: An Account with Translations of Renga and Haikai Sequences.* Princeton: Princeton UP, 1979.

———. *Japanese Poetic Diaries.* Berkeley: U of California P, 1969.

———. *The Japanese Tradition in British and American Literature.* Princeton: Princeton UP, 1958.

———. *Naming Properties: Nominal Reference in Travel Writings by Bashō and Sora, Johnson and Boswell.* Ann Arbor: U of Michigan P, 1996.

———, ed. *Paradise Lost, 1668-1968: Three Centuries of Commentary.* Lewisburg: Bucknell UP, 2004.

———. *The Restoration Mode from Milton to Dryden.* Princeton: Princeton UP, 1974.

Earl Miner, Hiroko Odagiri, and Robert E. Morrell, eds. *The Princeton Companion to Classical Japanese Literature.* Princeton: Princeton UP, 1985.

附錄

# 杜希德與二十世紀歐美漢學的「典範大轉移」
## 《劍橋中華文史叢刊》中文版的緣起說明

陳珏

一

　　「漢學」研究的主流，在二次大戰前後，出現了一場從歐洲為代表的「典範」，到美國為代表的「典範」的大轉移（paradigm shift）。[1]

　　近三十年前，杜希德（Denis C. Twitchett, 1925-2006）先生應邀從英國到美國，由劍橋大學漢學講座教授，轉任普林斯頓大學「胡應湘漢學」講座教授。從學術史的角度看，這在二十世紀歐美漢學的波瀾壯闊的「典範大轉移」的過程中，是一件相當重要的事情。[2]

---

1　此處之「典範」（paradigm），原為孔恩（Thomas Kuhn，又譯庫恩）名著*The Structure of Scientific Revolution*（Chicago: University of Chicago Press, 1962）中提出之概念。四十餘年來，此概念深入影響到人文社會科學的許多領域，成為一個經常在不同場合被化用，並脈絡化（contextualize）的名詞，特此說明。上述孔恩原書有程樹德、傅大為、王道還、錢永祥譯之《科學革命的結構》（臺北：允晨，1994），該書為余英時先生作總序的《新橋譯叢》之一種。

2　甚至可以說，杜公當年就與哈佛大學費正清（John K. Fairbank, 1907-1991）、耶魯大學芮沃壽（Arthur F. Wright, 1913-1976）攜手合作，結為名聞遐邇的跨越大西洋的西人「三劍客」，為完成上述歷史性的「典範大轉移」，作出了不可磨滅的貢獻（此處所謂之費、芮、杜為「三劍客」，乃取大仲馬《三劍客》小說中「三劍客」並肩作戰，親密無間、形同一體之典，並非謂與費、芮、杜並世的其他漢學家不重要也）。

　　然而，這樣一位宗師級人物的其人其書其貢獻，長久以來，在中文世界裡，卻鮮為人知。這一方面是由於杜公為人十分清高，十分低調，不事張揚。另一方面，也是由於錯綜複雜的西方漢學的學術史，在中文世界中至今還仍然是一門十分年輕的學問，剛剛才起步。然無論如何，這都不能不是一件令人十分遺憾的事情。可以毫不誇張這樣說，正像不了解費正清，就無法全面了解二十世紀歐美漢學的「典範大轉移」的諸種重要面相一樣，不了解杜公，人們對上述「典範大轉移」的了解，也會打上一個相當大的折扣。

　　正為如此，我有感而發，在二〇〇六年一月十四日香港《文匯報》副刊上，以〈不該忘卻的杜希德〉為題，寫了一篇如下的短文，對杜公溝通英美學界，在二十世紀後半葉，促成漢學典範轉移的三大里程碑式的「名山」事業，略作簡述：[3]

　　　　世紀交接的時候，《華聲報》評出「影響中國20世紀的百位外國人」，有外交官、作家、實業家、漢學家和政客等等，很有參考的價值，然而這個名單也有可討論的地方。就美國漢學家而言，已故的哈佛大學的近現代中國研究的鼻祖費正清（John Fairbank）和耶魯大學研究中古文明的芮沃壽（Arthur Wright）均在其列。如果這兩位夠資格，也許不應該漏掉目前尚健在的杜希德（Denis Twitchett）。

　　　　杜希德是二十世紀後半葉西方公認的唐史學界和中國通史學界的領軍人物，一代宗師，其自訂漢名原為杜希德，但因其在中文世界中（包括港、台、新、馬），久以崔瑞德名世，他本人亦只好採默認態度。杜氏歷任英國劍橋大學第六任漢

---

3　本文當時以筆名刊出，此處原文照錄，只刪去一句錯句，改正三個錯字，而有內容需要補充者，則在本文中以註釋的方式呈現，特此說明。

學講座教授（首任為英國近代漢學鼻祖、晚清英國駐華公使威妥瑪）和美國普林斯頓大學胡應湘漢學講座教授，除了在國際唐史研究中多劃時代的貢獻外，一生最重要的領導二十世紀後半葉漢學研究學術潮流的成績主要有三個方面。

其一，與費正清合作共同主編15卷本的《劍橋中國史》（*Cambridge History of China*），杜氏負責大部分，為第一總主編，費氏負責小部分，為第二總主編。 這套里程碑式的英語學術性中國通史，與其他各種「劍橋史」一樣，其要求十分嚴格，數十年而磨一劍，至今尚在繼續出版中。

其二，在二次大戰後接編「原籍」德國的歐洲漢學名刊《泰東》（*Asia Major*）， 該刊後又隨杜氏遷往美國普林斯頓，直至九〇年代中期杜氏退休為止。*Asia Major* 在二次大戰前與法國的《通報》（*T'oung Pao*）同為歐洲最重要的兩大漢學學報，在杜氏手中變得更加多姿多彩，甚至在其退休後，該刊編輯部轉到臺灣中央研究院歷史語言研究所，改主編制為編委會制，仍由杜氏任首席編委，現在依然不失為國際漢學界頂尖學報之一。

其三，近四分之一個世紀以來，為劍橋大學出版社主編 *Cambridge Studies in Chinese History, Literature and Institutions* 叢書，其中文直譯雖為《劍橋中國歷史、文學與制度研究》叢書，但杜氏為其確定的叢書漢名是《劍橋中華文史叢刊》，由海外名書法家張充和題寫，冠於每卷的卷首，經過數十年連續推出重要研究成果，在漢學界的影響深遠，已經成為一種經典。不少今天英、美漢學界的重鎮，當年均曾

經受杜氏識拔，將其成名專著收入該叢刊首先出版。這些
今天的漢學界成名人物包括英國劍橋大學現任漢學講座教
授麥大維（David MacMullen）、美國耶魯大學教授 Stanley
Weinstein、美國哥倫比亞大學東亞系主任 Robert Hymes 、美
國普林斯頓高等研究所講座教授 Nicola Di Cosmo、臺灣中央
研究院歷史語言研究所所長王汎森（英國皇家學會會士和臺
灣中央研究院士），以及已故的華裔美籍學者黃仁宇（黃氏
當年以一部《萬曆十五年》贏得國內讀者青睞，從此其書暢
銷不已，而在其身後出版的長篇回憶錄《黃河青山》中有對
杜氏的知遇之恩的詳細記載）等。他們當年初出茅廬的首部
專著，都是通過收入《劍橋中華文史叢刊》而一舉成名。

杜氏現隱居劍橋，不見外客，但繼續在主編《劍橋中國
史》，而前來拜訪的門生故舊仍絡繹不絕。

文章刊出，我當時正遠在紐西蘭任教，當收到樣報，已是次月上旬，
即航郵一份到劍橋，沒想到約兩個星期後，忽然傳來杜公二月二十四
日因心臟病發、與世長辭的消息。人生之無常，大樹之飄零，令人感
慨無已。所幸者，杜公所留下的上述三大里程碑式的貢獻，卻將長久
作為歷史的見證，與二十世紀的漢學同在。

對中文世界的讀者而言，在杜公以上的三大遺產中，除了《劍橋
中國史》外，《泰東》學報與《劍橋中華文史叢刊》兩者，可以說至
今仍「養在深閨」，鮮為人識。尤以《劍橋中華文史叢刊》，需要特
別提出。該叢刊三十年來，已出版約有五十部之多的專書，在西方名

聞遐邇，中文世界中卻極少有人知道它的來龍去脈。[4]十多年前，我在普林斯頓求學期間，曾經向杜公建議，是否應該考慮出版一套中文的精選版？他當時沒有在意。後來在二〇〇五年，再次談起此事時，杜公便命我代他與上海古籍出版社聯絡相關事宜。

眾所周知，如今經濟大潮中的學術出版，實屬非易，然而上海古籍出版社目光遠大，很快就簽訂了合同。於是，由杜公本人任主編，上海古籍出版社副社長兼副總編輯高克勤兄和我協助任執行主編的《劍橋中華文史叢刊》中文版工程，就開始啟動。

近日接到出版社電郵，稱《劍橋中華文史叢刊》中文版在明年一月開始，就要陸續與讀者見面了，讓我寫一篇緣起說明。時光如白駒過隙，轉眼明年二月就已是杜公逝世四週年了，令人感慨無已。

這篇文章，本來想從當年協助杜公籌備中文版的所見所聞出發，結合我目前正在進行的漢學學術史的研究計畫，比較全面介紹這套叢書在二十世紀歐美漢學的「典範大轉移」中的地位與作用，然如此一來，便要寫成數萬言的論文，決非一篇「緣起說明」的篇幅，所能包括。[5]

因此，這裡只好先在總體上，對杜公與歐美漢學的「典範大轉移」的關涉，略作簡述，然後再集中筆墨，就他如何三十年如一日，通過編輯《劍橋中華文史叢刊》，為推動上述「典範大轉移」的完成，培養大量傑出學術人才所花費的心力，舉幾個例子。換言之，此處只是以龍麟豹斑，稍窺全貌，與讀者分享。掛一漏萬，在所難免，尚祈諒解。

---

4　《劍橋中華文史叢刊》一開始由杜公與哈佛大學韓南（Patrick Hanan）先生聯合主編，後由杜公主編。

5　筆者正在準備這樣的長篇論文，其中的部分內容，應邀於二〇〇九年十一月十一日在上海社會科學院歷史研究所，以「二十世紀歐美漢學的典範轉移——以杜希德為例」為題，發表演講。

## 二

　　要討論杜公與二十世紀歐美漢學「典範大轉移」的關涉，需先對漢學的歷史，作一個簡單的回顧。

　　「漢學」作為一門學科，始於何時？有「十三世紀」說，有「十六世紀」說，也有「十八世紀」說或「十九世紀」說，聚訟紛紜，莫衷一是。[6]

　　然而，時至十九世紀末葉，西方諸國始有大學漢學講席之設立，並開始有權威性專業學報之出版，則為不爭之事實。當時正是「殖民時代」的全盛時期，漢學講席與漢學學報，全在歐洲，至於北美與澳洲之後續跟進，則主要是二十世紀的事情了。以大學講席而言，一八一四年法蘭西學院設立漢學講座，一八七五年荷蘭萊頓大學設立漢學講座，一八七五年英國牛津大學設立漢學講座，一八八八年英國劍橋大學設立漢學講座，形成了規模。以學報而言，一八八九年法國高第（Henri Cordier, 1849-1925）與荷蘭施古德（Gustaaf Schlegel, 1840-1903）共同創辦的《通報》，出版至今，仍是領域內的權威學報。

　　換言之，通過以上的種種，漢學研究的格局，十九世紀末，已經在歐洲跨國形成。在當時的大學體制中，漢學是「東方學」（Oriental Studies）的分支，與「古典學」（Classics）等科系為鄰，同屬於「人文學科」（the Humanities）的一個組成部分。從此出發，到二十世紀初，乃是「漢學」的學門「典範」在歐洲的「形成期」。

　　這個「形成期」，是通過歐洲內部諸國各自的漢學「小」傳統的典範互相激盪與轉移，經過一個相當時期的「磨合」與「互補」，而逐步完成的。舉例來說，有法國伯希和（Paul Pelliot, 1878-1945）

---

6　各說之紛紜，此處未能詳，容今後在上述長篇論文中細談。

的以中西交通史為中心的考古與語文考據的傳統，德國福蘭閣（Otto Franke, 1863-1946）的通史傳統，瑞典高本漢的音韻語言學傳統，荷蘭施古德的以秘密會社與娼妓史為對象的社會學傳統與高延（Jan Jakob Maria de Groot, 1854-1921）的以民間宗教習俗為對象的人類學傳統，英國翟理思（ Herbert Giles,1845-1935）的文學史傳統等等。[7] 正是由於這些傑出「小」傳統的細流匯聚而成江海，形成了從十九世紀末到二十世紀初以歐洲為中心的漢學「典範」。

如果用非常粗線條的視野來觀察，這種從十九世紀開始在歐洲型塑完成的學門「典範」，一直延續到二十世紀上半葉的二次大戰前，仍然是西方漢學的主流與正宗。換言之，雖然從二十世紀初葉開始，美國的漢學研究，蓬勃崛起，然而要等二次大戰以後，它才逐步取代歐洲漢學，得到領導世界漢學發展的主流地位。而這一變化的關鍵之一，就是所謂二十世紀歐美漢學的「典範大轉移」。

二十世紀中葉，從二次大戰的勝利到今天，世界發生了翻天覆地的變化，人類的整個知識與學科的結構，也隨之發生了改觀。在此期間，西方的主流大學與研究機構，推動了這一場學科的改觀。在科技理工領域，一系列原來聞所未聞，想不敢想的新學科，如原子物理、生命科學、電腦工程等，應運而生，把世界疆域的邊線，拓展到前所未有的範圍。在人文社會領域，種種新主義與新學派，如存在主義（Existentialism）、結構主義（Structuralism）、解構主義（Deconstruction）、新史學（New History）、符號學（Semiotics）等，如雨後春筍，此伏彼起，打破了原有的學科分界線，以跨領域為

---

7 本節以上部分同樣內容，我曾在其他論文中強調，參筆者〈高羅佩與「物質文化」——從「新文化史」視野之比較研究〉，《漢學研究》27.3（2009）： 321, 335-337。

時尚，重新進行學門與智識的結構的整合，令人眼花撩亂，目不暇接。在這樣總的歷史氛圍中，隨著時間的推移，以整體實力而言，美國的高等教育成了西方的典範，而其代表性的大學成了西方的旗艦，與歐洲的主流大學有了新層面的互動交流。

戰後的美國大學在人文社會科學的結構重整過程中，「漢學」搖身一變，從一門主要與「古典學系」等科系為鄰的「冷學問」，銳變為跨學科的「區域研究」（regional studies）中的「中國研究」（Chinese studies）的「熱學問」，與歷史系、社會學系、政治學系、藝術史系、比較文學系、地理學系、宗教系有複雜交涉，其所跨越的學科，已遠遠超出了「人文學科」（the Humanities）的範圍，而開始進入「社會科學」的更開闊的新領地。「中國研究」的對象關懷，也從以前的「古代」為主，漸漸轉到了「古」、「今」並重，甚至「近現代」為主。在這樣的背景中，原來作為「東方學」的分支，而與「古典學」科系為鄰居的「漢學」，為了適應變化中的大學的新的智識與學科結構，就不能不經歷一番「典範」的大轉移。

要說到當年發動二十世紀的這場歐美漢學的「典範大轉移」的大本營，哈佛自當仁不讓，其領軍人物，則無疑是費正清。戰後費氏從一九四六年開始到一九九一年去世，四十五年如一日，以哈佛為基地，培養了一批又一批「中國研究」的傑出人才，引領學界新風潮。

在此種風潮的影響下，美國的東岸與西岸，以及中西部的重要大學中，出現了若干由一流學者領導的「中國研究」的學術中心。例如，芮沃壽在耶魯，狄百瑞（William de Bary, 1919-）在哥倫比亞，牟復禮（Frederic Mote, 1922-2005）在普林斯頓，柳無忌（1907-2002）在印第安那，薛愛華（Edward Schafer, 1913-1991）在伯克萊，劉若愚（1926-1986）在史丹福，都從不同的角度，親身投入這場「典範」大轉移，在各自的領域中，開疆略地，大顯身手，並在他們的學生中

培養出許多後來的名教授，繼續拓展與開掘各個相關領域的深度和廣度，型塑「中國研究」的新典範。

「典範」的「轉移」，不等於對舊「典範」簡單的揚棄，而需要推陳出新，實現創造性的轉化。美國費正清等諸公，深明此義，始終不倦，尋求歐洲同行的理解與合作。而在大洋的彼岸，歐洲主流學術機構中的許多漢學名家—— 如法國戴密微（Paul Demiéville, 1894-1979）、荷蘭許理和（ Erik Zürcher, 1928-2008）、德國傅海波（Herbert Franke, 1914- ）等——也深切感到時代在變化中，美國發動的這場「典範大轉移」是歷史的必然，於是如何與時俱進，互相取長補短，與美國漢學界隔海呼應， 共襄盛舉，一起完成這一場歷史性的「典範大轉移」，就成了當年大西洋兩岸同行所面臨的共同問題：歐洲「漢學」界需要美國「中國研究」的新視野，美國「中國研究」 界也需要歐洲「漢學」的傳統資源。

在這樣的背景下，杜公當年的渡海赴美，就有一定的存「亡」續「絕」，繼往開來的學術史意義。杜公在渡海赴美之前，在一九六〇年到一九八〇年間，先為倫敦大學亞非學院（SOAS）漢學講座教授，後任劍橋大學漢學講座教授，一九六七年獲選為英國國家學術院院士，執英國漢學研究之牛耳，凡二十年之久。學術界視其為戰後英國漢學界的扛鼎者，與歐洲漢學界的代表人物之一，乃實至名歸，無庸置疑。然而，他在轉任普林斯頓之後，將其所攜歐洲漢學的無形資源，連同自己學術生命的全盛期，全部貢獻給了推動歐美「典範大轉移」的功德與事業，卻較少為中文世界所知，這裡便不能不稍費筆墨，略作鉤沉。[8]

---

8　從此下到本節末，筆者主要採用發表在二〇〇六年二月二十八日香港《大公報》副刊上的〈漢學家牟復禮雜憶〉一文中的文字，而下面第三節的大部分內容與第四節的部分內容，則主要取自於二〇〇六年七月至八月間香港《文匯報》副刊上連載的「劍橋

　　首先是杜公赴美與普林斯頓漢學的關涉。在中文世界裡，很多人知道普林斯頓是西方的漢學研究重鎮之一，但較少有人注意到普林斯頓的漢學研究的歷史其實相當短，是在二次大戰結束，牟復禮先生到任以後才開始的，更少有人知道普林斯頓的漢學研究之所以能在短短半個世紀的時間裡，取得今天的成績，在一定程度上乃得之於牟公籍當時漢學「典範大轉移」的機緣，篳路藍縷的開創和始終不倦的推動，其中尤重建設第一流的圖書館與千方百計禮聘第一流名師。很長時期內，普林斯頓葛思德東方圖書館（Gest Oriental Library）的地位，在全美居於同類專業館之第三（哈佛燕京居第一，美國國會居第二）。胡適在戰後，就曾先後擔任館長和名譽館長，直至其去世。

　　當年東亞系草創之時，牟公有一句目標性的名言：五十年以後，研究中國古代的文史，要到普林斯頓來。在費正清的影響下，哈佛當時在中國近現代史領域，已經在全世界範圍內，穩居領導地位，如日中天。牟公年輕時，也曾受業從遊於哈佛費正清之門，深知此誠不可與之爭鋒。於是乎，牟公在「典範轉移」的大潮中，為普林斯頓設計的藍圖是，以刷新古代文史的研究格局為軸心，貫通歐美、融會中西，努力後來居上，以五十年時間，躍居美國乃至全世界的前列。

　　一如其所預言，普林斯頓的文史研究果然於上世紀末到達全盛時期，就文學而言，治詩歌與詩學，有高友工先生，治小說與敘事，有浦安迪（Andrew Plaks）先生，在各自相關領域內，與哈佛的宇文所安（Stephen Owen）和韓南兩先生，同執牛耳十餘年。史學則更盛，余英時先生治漢史、杜希德先生治唐史、劉子健先生治宋史、牟復禮先生治明史，遂使美國研究漢、唐、宋、明史的權威雲集在一個校園

────────────

漢學緣」系列文章中的文字。以上種種舊文的合併與改寫，因其均為本人文章，特在此作一次性註明，而在以下隨處納入本文時，免行文繁瑣，一概不另加引號。

裡，真所謂人才一時之選，而令普林斯頓的斷代史研究的大格局，由此奠定，並維持了將近半個世紀。

杜公就是在這樣一個特定的時空環境中，來到普林斯頓，以其獨有的歐洲漢學背景，與余、劉、牟三位宗匠一起，著手推動中國文史研究的「典範大轉移」，花去了差不多整整十五年的時光。

## 三

如前所述，杜公在推動二十世紀漢學的「典範大轉移」過程中，有三大里程碑式的貢獻。他與費正清合作主編的十五卷本《劍橋中國史》，作為權威性的「劍橋史」的一種，每一卷每一章約請的撰寫人都是歐美相關領域的頂尖專家，代表了當時大西洋兩岸的中國古代史研究的最高水平，看得出正在潛移默化轉移中的「漢學」與「中國研究」的「典範」的天衣無縫的交融。

在同一「典範」的轉移過程中，他從英國帶到美國的《泰東》，其風格內容正好與歐洲的《通報》和北美的《哈佛亞洲學報》相互補充。這份重量級的學報，甚至直到這次「大轉移」早已完成的今天，仍與《通報》和《哈佛亞洲學報》一起，並列為國際間本領域的三大學報之一，[9]只是它的出版地已經轉到了亞洲。這一地點的移位在學術史上的潛在意義，我在本文的第四節中，還要談到。

杜公的以上兩大貢獻與二十世紀漢學的「典範大轉移」在方方面面的關涉，說來話長，無法詳表。限於篇幅，此處僅聚焦於《劍橋中華

---

9　在新世紀，由臺灣大學文學院長葉國良主持的〈文學一學門國際暨國內期刊評比之研究〉，以國際專家投票方式，選出三十種「歐美地區」本專業重要期刊，前三名的排名次序分別為：《哈佛亞洲學報》（*Harvard Journal of Asiatic Studies*）、《通報》（*T'oung Pao*）與《泰東》（*Asia Major*），可見一斑。

文史叢刊》，以滴水觀日之法，略窺杜公如何通過這一套世界級學術叢書，為「典範大轉移」的進行與完成，識拔了分佈在歐、美、澳、亞各洲的不止一代的年輕參與者。

據粗略統計，這套《叢刊》三十年來，出版了約五十種專書，其中作者在當時大多數都是名不見經傳的「年輕人」，而他們通過自己的專書在《劍橋中華文史叢刊》中出版，脫穎而出，後來約有一半都成為出類拔萃、聲名煊赫的頂尖歐美漢學家，除了本文第一節所提到的各位外，容我在這裡再稍舉數例，以見一斑。壯歲曾在《叢刊》中出書，如今已經榮退的大學者，可舉出哥倫比亞大學畢漢思（Hans Bielenstein）、牛津大學杜德橋（Glen Dudbridge）、法國高等社會科學院侯思孟（Donald Holzman）等等，而其中年紀較輕、現在仍在國際間縱橫馳騁的成名人物——如西雅圖華盛頓大學康達維（David Knechtges）與伊沛霞（Patricia Ebrey）、賓州大學（美國「常春藤八校」之一）林霨（Arthur Waldron）與梅維恒（Victor Mair）、英屬哥倫比亞大學施米特（Jerry Schmidt）、加州大學聖塔芭芭拉分校艾朗諾（Ronald Egan）、紐約州立大學賈志揚（John Chaffee）等等——則為數更多。此處雖限於篇幅，難以全列，然《劍橋中華文史叢刊》在為「典範大轉移」培養人才方面的貢獻，則可以由此略見。

這裡需要指出的是，以上的舉例名單，尚完全沒有包括《劍橋中華文史叢刊》當年推出、如今已成為國際級人物的華人學者。本文限於篇幅，即使只面對這樣一張「不完全」的舉例名單，也完全沒有辦法展開稍微詳細的討論，較為深入揭示《劍橋中華文史叢刊》在「典範大轉移」過程中，在培養西方下一代的大學者方面所作的持續貢獻。正因為如此，筆者在這裡避開上述的那張煊赫的名單，只舉兩個「邊緣」的例子，從側面說明《叢刊》的功能。第一個是澳洲漢學界的費思棻（Stephen Fitzgerald）的例子，討論「海外華人」的研究議

題，如何在「典範大轉移」中，從「非主流」變成「主流」。另一個
是華人學者黃仁宇的例子，觀察在「典範大轉移」中，華人學者的特
殊作用與地位變遷。

　　二十世紀下半葉，西方的漢學大家中能參與其本國的對華政策之
制定，一言九鼎，而有全世界聲譽者，有兩位自訂的漢名都姓「費」
的先生，而這兩位「費」公與杜公都結下了不解之緣。第一位自然是
美國費正清。第二位就是這位費思棻，此君既是七〇年代初曾任駐北
京大使，又曾任澳洲國立大學的遠東歷史系的教授暨系主任。讀者也
許不知道，在上世紀的澳洲國立大學中，曾有過兩位享國際聲譽的漢
學家。一位是後來回瑞典接任斯德哥爾摩大學漢學系主任的馬悅然
（Nils Göran David Malmqvist），後來成為炙手可熱的諾貝爾文學獎
評委，六〇年代則擔任澳洲國立大學東方語言系主任。另一位就是費
氏。這樣一位名副其實的政治與學術的兩棲人物，稱之為南半球的
「費正清」，也並不為過。

　　這位日後在學界和外交界春風得意的費思棻，其年輕時初出茅廬
的成名作《中國與海外華人：北京 1949 至 1970 年間之政策變化研究 》
（China and the Overseas Chinese: a Study of Peking's Changing Policy,
1949-1970），就是因杜公賞識，而收入《劍橋中華文史叢刊》出版
的。此書研究的是自一九四九年至一九七〇年的北京的華僑政策的變
遷，涉及各階段的華僑政策的變遷和海外華人的活動史的方方面面。
今天的海外華人的問題研究，不管在歐洲與北美，還是在澳洲和亞
洲，都是一門很熱的「顯學」，但三十年前，在古代中國的研究占主
導地位的漢學界，則還是「冷門」。同樣，今天的澳洲國立大學是亞
洲和太平洋地區的現代中國的研究重鎮，當時該校在這個領域裡卻還
剛剛起步，費氏和後來曾出任香港大學校長的王賡武先生，就是當年
在此篳路藍縷、以啟山林的一代拓荒者。

　　回首當年，一個澳洲的學者，要在劍橋大學出版社這樣的主流重鎮出版一本寫「海外華人」議題的學術著作，談何容易。相對於《叢刊》的「歷史、文學與制度」三大重點而言，「海外華人」研究，更是一個十分「邊緣」的題目。所幸者，杜公常敢破格，當年「出冷門」，決定把費思菜的這部處女作收入權威性的《叢刊》，推動「海外華人」研究進入主流的視野，而費氏的生涯也隨之出現了一個戲劇性的轉折。一九七二年，該書出版後，費氏旋於次年出任澳洲駐北京大使。大使卸任後，費氏重返教壇，在澳洲國立大學培養下一代的學人。他當年所主編的 The Australian Journal of Chinese Affairs 是今天西方的權威刊物 The China Journal 的前身，至今仍在南半球影響不小，而費氏《中國與海外華人：北京1949至1970年間之政策變化研究》一書對當代的海外華人的研究領域之開風氣之先的功勞，更不可低估。

　　除此而外，杜公在上世紀七〇年代初，至少還有一次大手筆的破格。該次破格的對象，事關如今已名滿天下的黃仁宇的處女作《十六世紀明代中國之財政與稅收》（Taxation and Governmental Finance in Sixteenth-century Ming China）一書。今天黃仁宇的名字，不僅學術界中人，連一般大學生和歷史愛好者，都耳熟能詳，達到「有井水處，即能歌柳詞」的地步。

　　然而，讀者也許不知道，黃氏當年在漢學界的崛起，有過一番苦苦掙扎的經歷。《十六世紀明代中國之財政與稅收》是一本開創性的著作，以明實錄、明人奏疏筆記、明代地方志等史料為基礎，充分吸收了大陸、臺灣以及歐美、日本的研究成果，對十六世紀中國明代的財政與稅收進行了發人未發的系統分析，不僅當時是一個前沿性突破，至今仍有其學術價值。據黃仁宇在身後出版的回憶錄《黃河青山》中的回憶，這本當年對他的學術前途有十分重要的關係的專書出版，與費正清和杜希德兩巨頭都有錯綜複雜的關係。

　　當時黃氏由費正清邀請，在哈佛修改和殺青此書，本來理當由哈佛出版，然而，該書的審稿人卻與黃氏的學術理念不一樣，提出一系列大手術性的修改意見，在某種意義上等於要求重寫。黃氏沒辦法接受，費正清也一籌莫展。為了打破此僵局，黃氏則將手稿轉寄給劍橋杜公，希望有一線生機。杜公慧眼識英雄，見此書「預」當時「典範大轉移」之「流」，當機立斷，不僅將此書收入《叢刊》出版，還破例親自作序（杜公作序，在《叢刊》近五十種專書中極少見），力挺其人，黃氏如此方一舉成名。

　　三十多年過去了，如今黃仁宇和他的「大歷史」，在其身後，如日方中，為一般知識界耳熟能詳。然在當時，黃仁宇雖才華橫溢，用他自己的話來說，還只是個「三等僧眾」。此話一語道破了當年的華人學者中能升到漢學界頂層者的人數比例。其時也，在美國第一流名校的漢學講壇上法相莊嚴，講經說法者，大多數是西人學者。雖然趙元任、楊聯陞、余英時諸先生，已在哈佛、耶魯、普林斯頓聲名遠播，然在整個漢學界，畢竟是少數。回到《劍橋中華文史叢刊》，總體而言《叢刊》中華人著者的比例，約只有西人著者的七分之一。

　　然而，如今回顧發現，在這場世紀「典範大轉移」完成之後，上述七分之一的華人學者中，幾乎無一「漏網」，全部都成為國際間重要的大學者：除黃仁宇外，美國還有普林斯頓大學周質平、加州大學聖塔芭芭拉分校陳啟雲、Tufts 大學陳荔荔（美國國家圖書獎 National Book Award 得主），臺灣則有中央研究院史語所黃進興、陳弱水、王汎森。

　　正如前述，杜公輕易不在《叢刊》出版的書前作序一樣，當年杜公還有另一條「不成文法」，為免近水樓臺先得月之嫌，《劍橋中華文史叢刊》一般不出版普林斯頓的博士的著作。據我所知，杜公從一九八〇年開始在普林斯頓執教近十五年間，只對兩部普林斯頓博士

的思想史論文，別有青眼，破例選中出版：一部是華人王汎森的《傅斯年大傳》，另一部是西人葛艾儒（Ira Kasoff）的《張載的思想》。王汎森今天在學術界的成就如何，有目共睹，此處無需辭費。葛艾儒後來「投筆從戎」，躋身政界，天涯何處無芳草，年前亦已官拜美國商業部助理部長矣。

簡言之，從《劍橋中華文史叢刊》在上述七人「微時」，即大膽攬其入「典範大轉移」之「局」，以及葛艾儒的小小生涯花絮，都足證杜公當年的知人洞見，有運籌帷幄、決勝於數十年之外的長算。

# 四

以上圍繞《劍橋中華文史叢刊》的出版始末，略述杜公為二十世紀歐美漢學的「典範大轉移」，培養人才的點點滴滴，真所謂「千里馬常有，而伯樂不常有」。然而，顧名思義，上世紀歐美漢學的「典範大轉移」，指的是西方人研究中國古典文史的學術「典範」，如何從歐洲作為「東方學」分支的「漢學」，向美國作為「區域研究」一部分的「中國研究」的方向轉移。換言之，歐洲的「漢學」也罷，美國的「區域研究」也罷，研究的對象雖都是中國的學問，所採用的方法與視野，乃至於學術規範和書寫語言，則都是西方的產物。

眾所周知，同樣是研究中國的學問，在東亞還有一種與之相對應的「典範」，即中國本身「國學」的「典範」。然而，很長一個時期以來，漢學界重視的主要是西方的「典範」，所謂的「轉移」，也一切都發生在西方內部，而對以「國學」為主流的東亞「典範」，則相對比較漠視。究其「漠視」的原因，相當複雜，一言難盡，然其中的一點，是西方學界認為：一方面，中文世界對漢學「典範」的奧妙，缺乏徹底的了解。另一方面，這種「典範」的奧妙，有時也很不容易

用中文充分表達出來。

於是乎，無論是西人學者，還是華人學者，要在歐美本領域立足，需有相當數量的高品質英文（或其他歐洲文字）專書與論文，其品質的保證，很大程度上取決於發表論文的學報與出版專書的出版社的學術嚴謹度。因此，《通報》、《哈佛亞洲學報》、《泰東》諸大學報，與劍橋、哈佛、普林斯頓、哥倫比亞、史丹福等名牌大學出版社，能在相當大的程度上，成為左右漢學界學術潮流的風標。這也就是為何杜公當年，憑《劍橋中國史》、《泰東》與《劍橋中華文史叢刊》三者，就能在這場歐美漢學的「典範大轉移」中，扮演一個重要角色的部分原因。

據筆者見聞所及，二次大戰前，在還是歐洲的「漢學」典範主導大局的時代，在沒有西文的專書，甚至也沒有完全自己寫的英文論文的情況下，能被西方漢學界無保留接受的華人學者，捨陳寅恪先生，無第二人。這裡的「無保留接受」的「硬」標準，是牛津的教職。陳寅恪在上世紀的前半葉，漫遊柏林大學、慕尼黑大學和哈佛大學等當時西方頂尖的研究東方學的學府後，其以隋唐史為中心的學術，融會國學和漢學，已達到國際間最高境界，而牛津大學於一九三九年對其發出的漢學講座教授（與美國大學的教授制不同，英國大學沿講師制，教授則為 chair，亦即講座教授）之聘（陳先生因故未去就職），足以證明，在這所當時的所謂「日不落帝國」最高學府的心目中，陳氏是無可置疑的學術權威。

也就是說，這一張不聘西人、卻聘華人的聘書本身，即表明牛津認為，陳氏雖無英文的著作，卻對「漢學」典範的奧妙，完全掌握，並能與其胸中的「國學」典範融鑄為一，乃有西方漢學家所不及的獨到長處。無怪乎杜公上世紀五〇年代在劍橋撰寫研究唐代財政史（其中一部分後來經改寫出版，成為西方漢學界該領域的名著之一）的博

士論文時，曾遠渡重洋，擬從遊於心目中的大師陳寅恪之門，後因當時的中英關係，無法得到入廣州的簽證，受阻於香港，而失之交臂。不過，無論如何，陳寅恪在當時，只是一個特例中的特例，沒有普遍意義。

世界進入二十一世紀，發生了翻天覆地的變化。在全球範圍的廣義「漢學」研究的「氣運」，正在以相當快的頻率，不知不覺中由西文世界向中文世界移動。照如此速度，也許只要在本世紀再過短短的十五到二十年，「漢學」研究的重心，就會從歐美返回到東亞來，出現第三次國際性的「典範大轉移」。以筆者觀察，這場可能出現的再一次「典範大轉移」，將會以「中文」書寫媒介與「西文」書寫媒介並重，為變化的標誌之一，因為語言、思維模式與「典範」三者之間，有千絲萬縷的關係。

在本世紀的今天，如要找一位主要以中文來寫作，並在漢學界乃至西方人文學界具公認宗師地位的華人學者，當然非余英時先生莫屬。這裡的「具公認宗師地位」的「硬」標準，是有「人文諾貝爾獎」之稱的美國國會圖書館克魯格獎（Kluge Prize）。

克魯格獎的得主，不僅漢學界只有余先生一人，全世界迄今也只有七人，而其餘六位都是在人文社會學界有劃時代影響的西人。二〇〇六年，余先生獲得此獎時，出版的中文專書超過四十部。評獎委員會在衡量余先生四十年來，主要在哈佛、耶魯與普林斯頓三所頂尖的學府度過的絢爛的學術生涯的整體成就時，無疑重點在其中文著作的學術價值。這些中文著作，舉例來說，無論是早期的《中國近世宗教倫理與商人精神》（1987），還是近年的《朱熹的歷史世界》（2003），都透露出一種處處入乎歐洲「漢學」與美國「中國研究」的「典範」之內，又隨時超乎其外的嶄新「典範」，也可以說是一種創造性的轉化。這種「典範」決未停留在傳統的「國學」範圍內，卻是一種以中文為書寫媒介而具有國際化視野的新的研究「典範」，很

可能成為下一次「漢學」與「國學」交融的典範轉移的主體。

值得注意的是，在費正清、杜希德等領導的二十世紀歐美漢學「典範大轉移」的後期，一個有能力貫通中西各種「典範」的新學術群體，已悄然出現。這裡容我舉例子說明。如眾所知，余先生誨人不倦，桃李滿天下，使受教於他的學生都能在不同的程度上，得到其治學的精神。本文上節尾談到，《劍橋中華文史叢刊》的著者總數中，有七分之六是西人學者，只有七分之一是華人學者。令人詫異的是，經過上世紀「典範大轉移」的洗禮，今天這七分之六的西人學者中的得大名者約占其總數之半，而其中的華人學者，成功率卻近乎是百分之百。

更令人驚奇的是，上節提到的七位華人學者中，竟有四人（黃仁宇、黃進興、陳弱水、王汎森）先後出自余英時先生的門下。除了黃仁宇為余先生早期在密西根大學參與指導過的博士生外，其他三位略可以分別代表余先生四十年來在哈佛、耶魯與普林斯頓三校中指導培養過的弟子群體，如今全在南港中央研究院史語所。[10]而上述四位成名學者，不約而同，一方面能在劍橋這樣的西方一流大學出版社出書，另一方面他們的大部分重要學術著作卻繼承余英時先生的學風，都是用中文撰寫的。一葉可知秋，以此為例，上面所談到的未來可能發生的第三次「典範大轉移」，為時或已不遠矣。

杜公在晚年，很可能也感到了將來也許會出現的第三次「典範」轉移，在他生命的最後十年，與史語所發生了三次意味十分深長的因緣。杜公一九九六年應邀從劍橋到史語所作「傅斯年講座」，連開三講。這是杜公一生在全世界所做過的許多次原創性演講中的最後一次重要演講，其內容後來彙為 *The Historian, His Readers, and the Passage of Time* 出

---

10 參田浩（Hoyt C. Tillman）編，《文化與歷史的追索——余英時教授八秩壽慶論文集》（臺北：聯經出版事業公司，2009）一書〈前言〉，由田浩、黃進興、陳弱水、王汎森分別回憶在上述三校中任教時的余英時先生。

版，也成為杜公勤奮著述的漫長學術生涯中的最後一本專書。[11]

　　事後，杜公向不少人談起，他這一次南港之遊的收穫與愉快回憶。以史語所為中心，中央研究院有不少普林斯頓校友，如黃清連、石守謙、朱鴻林、柳立言、林富士、康豹（Paul Katz）、張彬村、王汎森等，個個都是今天學界響噹噹的人物。雖然其中絕大部分人的博士論文並不是由杜公指導，卻大都曾經在求學時代，得到過杜公的關心與指點。這次來訪，不僅使他有賓至如歸之感，而且看到他熟悉的下一代學者如何將漢學與國學的「典範」，努力融會貫通，嘗試作創造性的轉化，感慨萬千。

　　次年，杜公即決定將他當年從倫敦遷到普林斯頓的《泰東》學報，再度從普林斯頓遷到中央研究院歷史語言研究所內。這是歐美漢學的三大學報之一，有史以來，破天荒第一次遷到亞洲，「永續經營」，使貨真價實的「漢學」的「典範」，與貨真價實的「國學」的「典範」，有機會直接發生「肢體」的「接觸」和「碰撞」。杜公之所以作出這樣的洲際遷移的決定，除了為他在從普林斯頓榮退之後，編輯方便外，也許還真有「典範」交流的深意在焉。

　　如果未來漢學「典範」的第三次大轉移，真的是以「中文」書寫媒介與「西文」書寫媒介並重，為變化的標誌之一，那麼《泰東》這樣的專業西文學報，轉到中文世界來「永續經營」，也許就可以視為是一種「春江水暖鴨先知」的信號。從這個層面上說，《泰東》遷到史語所，也許會在將來見到不同尋常的學術史意義。

---

11 杜公一生作過許多重要的演講，印製成書者有四種，其中最重要的有兩種：一為杜公出任倫敦大學漢學講座教授時的就職演講，題為 *Land Tenure and Social Order in T'ang and Sung China* (London: School of Oriental and African Studies, University of London, 1962)，另一即為此處之 *The Historian, His Readers, and the Passage of Time* (Taipei: Institute of History, Academia Sinica, 1996)。

　　杜公二〇〇六年與世長辭之後，他生前任教時間最長的劍橋大學與普林斯頓大學的圖書館，都想爭取得到他所遺留的藏書捐贈，結果這批約五千五百餘種的珍貴藏書和全部手稿遺墨，卻經過時任所長的王汎森的努力，終於捐給了史語所。圖書的捐贈典禮，於二〇〇七年九月十一日在南港舉行，諾貝爾獎得主、中央研究院前院長李遠哲到場致詞，十分隆重。典禮後，這些藏書和手稿，在名聞遐邇的傅斯年圖書館中專設一室珍藏，供人研究，紀念杜公對二十世紀歐美漢學的「典範大轉移」，作出的傑出貢獻，而門口匾上「杜希德文庫」五個大字，正是出於余英時先生的手筆。

　　不久前，我去看望王汎森。他看到我的第一句話就是：「我要送你一份珍貴的禮物」，說完拿出一個沉沉的大紙袋，裡面是杜公從一九五四年發表第一篇漢學論文開始，所有英文論文的全部原始抽印本，共有好幾十種之多。英文學報的抽印本，都是在論文發表的當時，限量印刷的，幾十年後再要收齊，非常不容易。學長將這套珍貴的抽印本送給我，是囑咐我精選杜公的重要文章，編一部中文版的《杜希德文存》，讓中文世界的讀者可以進一步了解杜公對二十世紀歐美漢學的「典範大轉移」所作的貢獻，也對於未來可能發生的漢學與國學交融的第三次「典範大轉移」，不至於手足無措。目前中文世界的「漢學」學術史研究，還十分年輕，對於剛剛過去的二十世紀歐美漢學「典範大轉移」的複雜過程，了解比較有限，如何通過《杜希德文存》的編選，推動上述「典範大轉移」的研究，面對這一挑戰性的工作，令人深感任重道遠。

　　值此之際，上海古籍出版社的《劍橋中華文史叢刊》中文版開始陸續與讀者見面，就變得非常及時。

　　鑒往知來，通過這套叢書的中文版，讀者不僅可以了解杜公的其人其書其貢獻；也可以知道圍繞這套叢書，當年的一批年輕的學者，

是如何通過參與二十世紀的「典範大轉移」，而成長為如今漢學界的
舉足輕重的人物的；還可以進一步把握未來學術「典範」可能的轉移
方向的脈搏。

　　回想當年，在眾多的中文世界的出版社中，杜公指定我首先與上
海古籍出版社洽談，正是因為他十分看重上海古籍出版社從上世紀八
〇年代就推出王元化先生主編的《海外漢學叢書》，格調甚高，而上
海古籍出版社在《海外漢學叢書》之後，仍不斷推出各種新的漢學書
系，用力甚勤，就風格嚴謹而言，首屈一指。如今，《劍橋中華文 史
叢刊》中文版又即將面世，溫故知新，對於學術界研究二十世紀歐美
漢學之「典範大轉移」，與準備迎接二十一世紀未來也許會出現的新
的「典範大轉移」，都有無量之功德。*

二〇〇九年十二月二十日

---

\* 　編按：杜希德先生照，見書前圖版，頁五。

# 作者簡介

（以姓氏筆劃為序）

王　　寧　北京清華大學「長江學者」特聘教授兼比較文學與文化研究
　　　　　中心主任、中國比較文學學會副會長

洪淑苓　國立臺灣大學教授兼臺灣文學研究所長

高桂惠　國立政治大學中國文學系特聘教授

陳　　玨　國立清華大學中國文學系暨歷史研究所教授、清華學報編委、
　　　　　香港大學饒宗頤學術館名譽研究員、國際「漢學與物質文化」
　　　　　研究聯盟總幹事

陳躍紅　北京大學人文特聘教授兼中文系主任、中國比較文學學會副
　　　　　會長

馮品佳　國立交通大學外文系特聘教授、中華民國比較文學學會前理
　　　　　事長

程章燦　南京大學「長江學者」特聘教授兼古典文獻研究所長

單德興　中央研究院歐美研究所特聘研究員、中華民國比較文學學會
　　　　前理事長

廖朝陽　國立臺灣大學外文系特聘教授、中華民國比較文學學會理事長

樂黛雲　北京大學中文系教授、中國比較文學學會會長、國際比較文
　　　　學學會前副會長

# 編後記

　　本書的問世，需要感謝很多機構和個人。筆者藉這篇編後記篇幅，對之深表謝忱。

　　首先，要感謝筆者服務的清華大學，還有科技部的支持。筆者在編序中提到，本書所收的各篇文章，大部份是去年四月兩次臺北會議的成果。這兩次會議，是由筆者主持的多個國立清華大學和科技部大型研究計畫，聯袂國際「漢學與物質文化」研究聯盟，共同推動的。這些研究計畫及編號如下：1）國立清華大學「新漢學與世界文學視野中的二十世紀中國文學」兩岸清華合作研究計畫（102N2713E1），2）國立清華大學「漢學的典範轉移」主軸增能整合型研究計畫（102N2527E1），3）科技部「文學藝術與物質文化擴展」整合型研究計畫（NSC 101-2410-H-007-040-MY2），4）科技部「國際漢學與物質文化研究聯盟」拋光計畫（NSC 101-2911-I-007-503-）。如果沒有本校和科技部這些大型研究計畫的支持，便不會有上述的兩場會議，也不會有本書今天的問世。

　　筆者也要深深感謝本書的各位作者，在百忙中撰稿，將自己的研究新成果，奉獻給學術界。同時，筆者要感謝《中外文學》（臺灣）、北京《清華大學學報》（大陸）、《人文與社會科學簡訊》（臺灣）和《古今論衡》（臺灣），率先期刊載書中包括附錄在內的十五篇文章，在學術界發生影響，並惠允筆者將它們收入本書出版，以獲得更廣泛的傳播。為了能清晰呈現這些文章在以上各刊物當初

發表的樣貌，筆者在此詳列相關的資訊如下，以誌感激：1）廖朝陽
〈比較文學的轉化〉、程章燦〈海外漢學與比較文學：亞瑟‧魏理的
啟示〉、單德興〈臺灣的比較文學：一位在地學者的觀察〉、陳躍紅
〈錢鍾書比較詩學方法論舉隅〉、馮品佳〈「後」殖民女性小說的比
較研究〉、王寧〈孟而康與比較詩學的超越〉、陳玨〈孟爾康漢學遺
產的比較文學脈絡〉諸文，發表於《中外文學》42.2（June 2013）：
187-238，2）王寧〈清華大學與中國比較文學的興起與發展〉、陳
玨〈清華大學與二十世紀漢學史的交融：以聞一多為例〉、陳躍紅
〈比較文學在北京大學〉、洪淑苓〈臺灣大學的現代文學與比較文學
研究〉、程章燦〈魏理與中國文學的西傳〉、高桂惠〈物質文化研究
在政治大學〉諸文，發表於北京《清華大學學報》28.6（November
2013）：36-51，3）陳玨〈拓展「漢學與物質文化」研究的新視野：
介紹科技部近年在該領域的四個大型計畫〉一文，發表於科技部人文
司《人文與社會科學簡訊》15.2（March 2014）：110-124，4）陳玨
〈杜希德與二十世紀歐美漢學的「典範大轉移」：《劍橋中華文史叢
刊》中文版的緣起說明〉一文，發表於《古今論衡》20（December
2009）：171-186。以上諸文，由於當時在期刊發表時都經過作者本人
的校閱認可，筆者和本書的責任編輯原則上不對內容文字和標點格式
作改動（除了少數明顯的誤植和徵得作者的同意的特例外）。循此原
則，責任編輯在清樣的校對時，除了個別錯字，凡有更改處（包括體
例），概用「編按」標明，以示慎重和負責。

　　本書有五幅銅版紙精印的插圖，大為書中相關文章增色，原稿分
別由齊邦媛教授、樂黛雲教授、國立臺灣大學圖書館、普林斯頓大學
圖書館以及中央研究院歷史語言研究所向各位作者提供，深具歷史價
值。筆者作為本書編者，也在此對以上個人和機構，致以深切感謝。

　　此外，本書集稿後，曾送請三位海外的專家評閱。這三位國際知

名的學者，從漢學、物質文化研究和比較文學的不同領域，作出一致
強力推薦。他們分別是普林斯頓大學東亞系主任柯馬丁(Martin Kern)
講座教授、京都大學大学院人間‧環境学研究科道坂昭廣教授和香港
城市大學中文、翻譯及語言學系張隆溪講座教授，其評語用英文、日
文和中文三種語言寫出，原文列於本書封底，供參考。同時，筆者茲
將其中的美、日兩位學者評價的中文大意轉述於下，以饗不熟悉英文
和日文的讀者。

　　柯馬丁教授是源遠流長的普林斯頓漢學研究傳統在新世紀的繼
承人之一，他認為：無論漢學還是比較文學，如今都已經走到了一個
十字路口，單憑學科本身的傳統學術資源，已經很難再往前發展。正
是在這樣一個十字路口，本書的出版尤顯及時，有突破性意義。書中
各位優秀學者所撰的文章，以過去數十年的學術史發展為依據，指出
了漢學與比較文學未來前途的方向，即中國文學研究需要比較的視
野，而比較文學研究則需要大步走出西方中心的巢臼。本書因此當為
漢學家和比較文學家所必讀。道坂昭廣教授則指出：本書的目的，是
學術的「跨界」，彙聚各個領域「界內」的研究成果，並在「界外」
創造共同的論壇。更加可貴的是，本書打破國境地域以及語言的「界
線」，意在推動真正意義上的國際漢學。而「物質文化」這一詞語，
顯示了能夠自由往來於「界」內外的真意。道坂教授因京都大學與國
立清華大學是「姊妹」校，而很期待著這個計畫的新進展。筆者這裡
還要補充一點重要的因緣：國際「漢學與物質文化」研究聯盟前年由
國立清華大學、京都大學和加州柏克萊大學同仁發起成立，成立會選
在京都大學召開，東道主正是道坂教授。張隆溪教授在國際比較文學
界名聞遐邇，榮膺瑞典皇家人文、歷史及考古學院院士和歐洲科學院
院士，其成績在該領域的同齡的華裔學人中，當不作第二人想。他對
本書的期許，用中文呈現，請讀者自閱。

　　同時，筆者在此深切感謝萬卷樓梁錦興總經理和張晏瑞副總編輯，用超前的學術眼光，全力支持本書的出版，並給予多方面的鼓勵，使筆者產生知音之感。筆者還要感謝本書的責任編輯邱詩倫小姐以認真負責的精神，精心展開編輯工作，以及封面設計師張燕儀小姐品味精雅的美術創意。如果沒有這些，本書是一定不會以今天的樣貌，與讀者見面的。

編者

於二〇一四年五月

文學研究叢書·文學理論叢刊 0801002

# 跨界對話——漢學、比較文學與物質文化研究

| | |
|---|---|
| 主　　編 | 陳珏 |
| 責任編輯 | 邱詩倫 |
| 特約校稿 | 林秋芬 |

| | |
|---|---|
| 發 行 人 | 陳滿銘 |
| 總 經 理 | 梁錦興 |
| 總 編 輯 | 陳滿銘 |
| 副總編輯 | 張晏瑞 |
| 編 輯 所 | 萬卷樓圖書股份有限公司 |
| 排　　版 | 浩瀚電腦排版股份有限公司 |
| 印　　刷 | 百通科技股份有限公司 |
| 封面設計 | 斐類設計工作室 |

發　　行　萬卷樓圖書股份有限公司
　　臺北市羅斯福路二段 41 號 6 樓之 3
　　電話　(02)23216565
　　傳真　(02)23218698
　　電郵　SERVICE@WANJUAN.COM.TW
大陸經銷　廈門外圖臺灣書店有限公司
　　電郵　JKB188@188.COM
香港經銷　香港聯合書刊物流有限公司
　　電話　(852)21502100
　　傳真　(852)23560735

**ISBN 978-957-739-868-0**
2014 年 6 月初版一刷

定價：新臺幣 460 元

如何購買本書：

1. 劃撥購書，請透過以下郵政劃撥帳號：
　　帳號：15624015
　　戶名：萬卷樓圖書股份有限公司
2. 轉帳購書，請透過以下帳戶
　　合作金庫銀行　古亭分行
　　戶名：萬卷樓圖書股份有限公司
　　帳號：0877717092596
3. 網路購書，請透過萬卷樓網站
　　網址　WWW.WANJUAN.COM.TW

大量購書，請直接聯繫我們，將有專人為您服務。客服：(02)23216565 分機 10

如有缺頁、破損或裝訂錯誤，請寄回更換

國家圖書館出版品預行編目資料

跨界對話：漢學、比較文學與物質文化研究 / 陳珏主編.
　-- 初版.-- 臺北市：萬卷樓, 2014.06
　面；　公分.-- (文學研究叢書)
ISBN 978-957-739-868-0(精裝)
1.漢學研究　2.比較文學　3.物質文化　4.文集
030.7　　　　　　　　　　　　　103007297